時代遅れのノート

失われた40年をたどり見えてきたこと

はじめに

このノートを書きはじめたきっかけにはいくつかあります。2011年、関西の会社を6月に退職して自宅に戻る前に、一度、奈良のお水取りを見ておきたいと思い、妻も呼び寄せることにしました。3月11日のことです。東北、北関東を、あの最悪の大地震が襲ったのは、ちょうど、新大阪で妻をピックアップして、大阪難波の宿まで送り届ける地下鉄の車両の中でした。娘からのメールで尋常ではないと気づきましたが、急遽オフィスに戻っても呆然とテレビに流れる、東北の町に押し寄せるどす黒い津波と、それが急流となって巻き込んでいく数え切れない家屋と車の様子をただ眺めるしかありませんでした。そして、その後の福島原発の事故……、「何かが変わった。何かが終わった」と言う思いが、自らの人生の節目に重なって、心の底に沈殿することになりました。それはあの大災害に直面した人たちの悲嘆や衝撃とは較べるべくもないのですが。

その後、年金生活者として日を過ごす一方で、ある種の違和感が年々に増していくようになりましたが、その対象は、劣化したこの国の政治の有り様であり、メディアに対しても同じような苛立ちを覚えました。そのひとつの出来事が韓国での徴用工裁判の判決と、日本政府の反応、それに続く嫌韓、大方のメディアの反応でした。個人の損害賠償請求権が保護されるべきことは、日本の最高裁がかつて中国人徴用工裁判において下した判決にも示されていたものですが、この国の外務大臣が隣国の大使を呼びつけその判決をあげて「無礼」と言ったのには、言葉を失いました。しかし、その醜悪さを指摘したのは私の知る限り辺見庸だけでした。

この問題は原爆被害者や空襲被害者への損害賠償請求権訴訟等、基本的人権にかかわる問題として、同列に捉えて議論されるべきものと考えられたのですが、どうやらそうした見方、考え方は「反日」で一括りにされるようでした。加藤陽子が『それでも、日本人は『戦争』を選んだ』（新潮文庫　２０１６年）の中で指摘しているように、この国では「民権派といってもまた反政府と言っても、どうも事が外交や軍事に関する問題になると自由だ、民主だのと理想を言う前に、まずは国権の確立が前面に出てしまう」ようです。

他方で、人の生命と生活にかかわってこの国と世界で次から次へと起こる悲惨な事件や暴力に目を向けると、「何でこうなったの？」と言う思いが拭いきれないのです。日本に限っても、それらの生命と生活にかかわって起きている多くの事件・事象が、子どもや女性、若者を巻き込んだものであることを思うと、自らの生きてきた時代をせめて自分なりに整理しなくては次の、さらにその先の世代に引きつぐことはできないように思えるのです。そしてその整理は、「何かと楽をしてよい時代」を送ったと言われる世代のひとりとして、「何でこうなったのか」を問いながら、時代を遡ってその答えを探ることから始めるしかありません。それが偽善的なもので「時代遅れ」だとして嘲笑を買うことになるとしても。

とは言いながら私に始められるのは、何が起こっているかを知る手掛りとしての新聞記事のスクラップと、それらを検証し背景を掴むべくインターネットを使ってのデータ収集であり、さらに同時代の人たちの著作にある言説をうつしとって時代を理解することにつきます。当初は問題の多さから新聞記事のスクラップにも苦労したのですが、それでもこのノートを続けるべく背中を押してくれたのがＢＲＥＸＩＴを前にした英国の新聞に掲載された一読者の投書と寺島実郎の『シルバー・デモクラシー　戦後世代の覚悟と責任』（岩波新書　２０１７年）です。

英紙の読者は、「私は、私と同じベビーブーマー世代の人間が、自分たちがどれだけ幸運だったかを何故理解できないのか不思議に思う。私は労働者階級の出身だが、平等な教育機会に恵まれ大学進学にも奨学金を受けることが出来た。また、労働組合が力を持っていたおかげで十分な有給休暇もある職場で働くことができ、相続財産はなかったけれども、それなりの財産を築くこともできた。衣食に困ることもない年金があるし、健康で、子供たちを援助もでき、退職生活を楽しむだけのお金もある。……私たちの両親が一生懸命働き、自ら選択した人生を人間らしく生きる自由と、福祉国家を実現することのできた政府を選んだのだ」と述べる一方で、「彼等（＝若い世代）にも、私たちにあったチャンスがあって当然なのだ。私たちは、愛と寛容を説いた世代だった。その思いやりのある寛容さをなくしたのは、恥ずかしいことだ」と若い世代への同情と慨嘆で一文を締めくくっています。

一方、寺島は、その本のなかで、彼の属する団塊世代に「経済主義」（拝金主義）と「私生活主義」（ミーイズム）を世代の特徴として抽出し、現在の日本の状況をとらえて「我々はこんな自堕落で矮小な時代を目撃するために生きてきたのだろうか」という自問とともに、結びの章で「行動しないシニアを見つめた」ことを告白しながら、団塊世代がその責任を果たすことを促しています。

では、その団塊世代の親の時代の世界はどうだったのでしょうか？　デビィッド・ハーヴェイがその著作（32頁、注③参照）で「第2次大戦後欧州では様々な社会民主主義、キリスト教民主主義と制度経済国家が、誕生した。米国自身も、リベラルな民主主義国家に舵をきり、日本は、米国の監視の下で表面的には民主制、実態は国の復興を監督する高度に官僚的な国家組織であったが、このように色々な国家の形がとられてはいても、共通していたのは、政府は、完全雇用・経済成長・市民の福祉に焦点をおくべきことを受け入れ、これらの目的を達成するためには国家権力は市場のすぐ脇にあって必要なら介入し、あるいは市場に取って代わるべく展開されるべきだ、と言うものであった」と描写したような、その政府の下で、ベビーブーマーの親世代は、戦勝国・敗戦国を問わず、焦土の上に人間らしく生きることのできる生活を築くべく必死になって格闘してきました。英国民が「揺り籠から墓場まで」の福祉国家を目指す政府を選び、地球の反対側で日本は、右のように米国の占領・監視下、官僚的組織によって主導されたものであったとしても、人々の根底にあったのは人間らしい生活への必死で熱い思いと、共通善としての「平和国家、民主主義、基本的人権」の価値への共感であったと思います。

しかし数十年を経て大西洋側では他者への愛と寛容が姿を消し、太平洋側では拝金主義とミーイズムの時代が現出したのです。何がそうさせたのでしょうか。また、それは私が抱く違和感とどう繋がり、さらに日本の社会の子どもをはじめとする弱者に襲いかかる事件や事象の原因となっているのでしょうか。

時代を振り返ってみれば、第2次大戦から今日までの70余年の時代の前半は、この国でも大西洋側の「揺り籠から墓場まで」をならうように、社会福祉制度、「公助」に向けて進むと同時に、朝鮮戦争をきっかけに高度経済成長がそれを支え、新憲法の下での民主主義と資本主義が幸運なタッグを組んだ時代と言えるとおもいます。急激な工業化は公害の犠牲になった人たちにとって「ろくなものではなかった（石牟礼道子）」し、戦前・戦中から埋め込まれた偏見や差別は消滅することなく持ち越されたことは忘れてはなりません。しかし1980年代、英国のサッチャーイズム、米国のレーガノミクスを追って日本も方向を転換します。以降、新自由主義経済とそれを体現する経済的政治的思想と行為が、グローバリゼーションの名の下にこの国を壟断していきます。そのことは1965年度の国民生活白書にしめされた「もっとも重要なことは、国民生活を尊重する原則を確立し、経済に奉仕する生活ではなく、〝生活に奉仕する経済〟であるべき」と、1987年版厚生白書の「健全な社会とは個人の自立・自助が基本であり、それを支える家庭、地域社会があって、さらに公的部門が個人の自立・自助や家族、地域社会の互助機能を支援する三重構造の社会、換言すれば、自立自助の精神と相互扶助の精神、社会連帯の精神に支えられた社会と考えることができよう。」という政府文書の差に明らかです。「生活」が「精神」に置きかえられた当該箇所はまるで第2次大戦前・同戦中の文章をみるようですが、久しくその「自助」に「自己責任」が重ねられて喧伝され人々を眩惑し続けています。

その厚生白書が出された1987年は、後に触れることになる国鉄分割、JRグループが発足した年であり、前年の夏には中曽根内閣下での衆参ダブル選挙・自民党の圧勝、その12月からいわゆる「バブル景気」が始まっています。そしてバブルが崩壊し、「失われた30年」へ突入していきます。このノートは、「何でこうなったのか」の「こう」について「いま、ここで」子どもたちに起っている危機をデータで確かめることから始めて、社会の「寛容」から市場の「競争」へ転換した時代を、出来る限り多くの先達、同時代人の著作を手掛かりに追跡したものです。

目次

第3章　昭和と一億総中流社会の解体

第4章　空洞化と規制緩和、富の移転

第1章

子ども、若者と女性を襲う不条理

◉第1節　子どもたちの危機

２０２１年10月、小中高の児童生徒の２０２０年度の自殺数が前年度から98人増え、４１５人に、警察庁の集計でも、１２０人増の５０７人になったこと、また不登校の児童生徒数が、前年度より1万４８５５人増えて、過去最多の19万６１２７人だったことが報じられました。その後のデータでは２０２２年中の児童生徒自殺者数（暫定値）は５１４人、また２０２１年度の不登校は24万４９４０人とさらに大きく増えています。

いったい子どもたちに何が起きているのでしょう。小中学生の自殺はそれ自体がショッキングな出来事ですが、学校内でのいじめとの関連で報じられる度に言いようのない思いにとらわれます。また親の虐待で幼くして命を奪われる事件も相次いで起こっています。それらの事件も、また、子どもへの憐憫、親への怒りは当然としても、それ以上にやり場のない気持ちを残します。

これらの自殺、不登校、いじめ、虐待などのデータを過去に遡って調べたものが、次表ですが、２０１０年度から２０２０年度までの10年の間に、10～19歳の自殺率、小中学生の不登校がそれぞれ１・５～１・６倍、小中高・特殊教育校でのいじめの認知件数が６・７倍、児

表1　子どもたちに起きている自殺・不登校・いじめ・虐待

年	自殺者数(人)	自殺率(人)	不登校(人)	いじめ(件)	虐待(件)
2000年	598	4.3	134,286	30,918	17,725
2010年	**551**	**4.6**	**119,891**	**77,630**	**56,384**
2018年	599	5.3	164,528	543,933	159,838
2019年	659	5.9	181,272	612,496	193,780
2020年	**777**	**7.0**	**196,127**	**517,163**	**205,029**
2020年対2010年比較	1.4	1.5	1.6	6.7	3.6

①自殺者数・自殺率は10～19歳、警察庁「自殺統計」から。（自殺率は10万人当りの人数）
②不登校は小中学校の児童生徒、文部科学省調査から2020年の欄の数字は2019年。
③いじめは2000年は発生件数、その他は認知件数。小中高と特殊教育校合計。
文部科学省「いじめの現状について」から。
④虐待は厚生労働省資料　児童相談所での児童虐待相談件数とその推移。

童相談所における虐待の相談件数が3・6倍になっていてコロナ前の10年間、いじめ防止対策推進法成立（2012年）以降の数字に愕然とします。

それぞれの事象の原因や背景には、どのような事情があるのでしょうか。例えば、自殺率については、20歳以上の各世代が低下しているのに対して19歳以下では増加しています。自殺の原因は「多様かつ複合的な原因や背景を有しており、様々な要因が連鎖する中で起きている」（厚生労働省自殺対策白書）中でも、学校問題・家庭問題と並んで健康問題、そのうちうつ病などの精神的な病原因・動機によるものが少なくありません。また不登校では、不安や無気力など精神的な要因が、4割近くから5割近くを占めています。（文科省児童生徒の問題行動・不登校等生徒指導上の諸課題に関する調査　2022年10月公表から）では、いじめや虐待はどうでしょうか。令和3年版の『子供・若者白書』

から、いじめの原因・動機別の主なものを拾うと、いじめは「力が弱い・無抵抗」や「態度動作が鈍い」「よく嘘をつく」「仲間から離れようとする」など、〈弱い者〉に対して向けられています。虐待は実母・実父による割合が、それぞれ47・7%、41・2%とほとんどのケースを占めています（前掲白書から2019年度の主たる虐待者別構成割合）。また虐待にはいたらないものの、「声を荒げて怒鳴る、子供が見聞きできる場で夫婦が暴言を吐き合う、きょうだいや他の子と比べる」等、将来にわたって心や身体の健康を損なう可能性があることも識者によって指摘されています。その一方で埼玉県の全高校の2年生（5万5772人）を対象にした県の調査が明らかにしたのは、回答者の4・1%にあたる1969人が日常的に家族の世話や介護をする「ヤング・ケアラー」の存在でした。（前掲白書）また、子どもの貧困率は14%（2018年：新基準ベース）で7人に1人が貧困におかれ、それがひとり親の場合、半数に近い48%が貧困線以下という深刻な状況があります。

他方、子どもの幸福度についてのユニセフの資料では、日本の子どもの幸福度は5歳から14歳の子どもの死亡率や肥満度を指標にした身体的健康では38ヶ国中1位ですが、生活満足度の高い割合や15歳から19歳の自殺率を指標とする精神的幸福度は37位、低い方から2番目となっています。また生きていくために必要なスキルでは数学や読解力など基礎的習熟度、学力は上から5番目と高いのですが、すぐに友達ができると答えた子どもの割合は低い方から2番目で、スキルの評価は全体の27番目になっています。

病や事故、自然災害、国同士の争い、歴史が引き継いできた人為的な差別や悪意、それらによって生じる経済的貧困など世界の不条理には限りがなく「不幸」は民族や国家などの集団に、そして最終的に家族・個人に降りかかってきます。ベビーブーマー世代をはじめ大半は、この国に生まれることはそうした不条理・不幸から遠いものだと長い間信じてきた、あるいは信じる振りをしてきたのではないでしょうか。しかし以上の事実が示している子どもの孤立感、無力感や不安の精神的苦痛、いじめや親からの虐待をどのように理解したらいいのでしょう。少なくとも子どもの社会で起きていることは大人の社会に起きていることの反映、というよりはそのものと言ってもいいのですから。

◉第2節　若年世代と女性の苦痛

19歳以下の自殺に関する事実は前節で取り上げたとおりですが、10代だけでなく20代、30代のいずれの世代でも自殺がその死因の第1位を占めており、これは先進国のなかでも唯一だそうです。また、OECDの統計では、全世代の自殺率においても、女性は37ヶ国中高い方から3位、男性は10位、男女合計では5位です。政府は、2016年に自殺対策基本法を改正施行し自殺対策大綱で数値目標を定めるなど、取り組みを始めた結果、10代を除いて自殺数は減少してきたとしていますが、依然として自殺率は主要国の中でも韓国を除いて高く、とくに女性の自殺率が他国に比べて高いことが表2でわかります。

自殺の実数（全年代）は、2019年総数2万169人（男性1万4078人、女性6091人）に対し、2020年　総数2万1081人（男性1万4055人、女性7026人）、両年を比べると、男性は23人減少していますが、女性は935人、15%増えています。また年齢階級別にみた自殺率は、20代では2019年に16・8人だったのが2020年では19・8人、対前年18%の増、2021年にはさらに20・7人に増えています。30代では17・7人だったのが、2020年は、18・4人、4%の増、2021年は18・7人になっています。男女別では、2020年に女性の自殺率はすべての年齢階級で前年比増えています。とくに20代は3・3人32%増え、30代も1・9人21%増えています。男性は20代が3人13%、30代は0・2人1%です。19歳未満は、総数・男・女の順に、1・2人20%、0・6人8%、1・8人45%ですから、これらの数字からコロナ渦が子どもと若年層、女性に、より深刻な影響を与えていることがわかります。

東京新聞によると、自殺の原因としての「うつ病、抑うつ症状」の有病率について、OE

表2　自殺率（10万人当たりの自殺者数）国際比較　人

	総数	男性	女性	摘要
日本	16.1	22.9	9.7	2018年
米国	14.7	23.4	6.4	2017年
フランス	13.1	20.7	6.0	2016年
ドイツ	11.6	17.9	5.5	2018年
カナダ	11.3	11.1	5.8	2016年
英国	7.3	7.3	3.3	2016年
イタリア	6.5	6.5	2.8	2017年
韓国	26.9	38.0	15.8	2019年

厚生労働省　令和３年版自殺対策白書　第1-35図，36図から転記＊

＊資料：世界保健機関資料（2021年4月）より厚生労働省自殺対策推進室作成

ＣＤがまとめたところでは、日本は、コロナ禍前の調査に比べて、約２・２倍（17・３％）で、米国は、約３・６倍（23・５％）、フランス、英国は、それぞれ19・９％、19・２％と、いずれも約２倍とのことです。男女別の自殺率をみると、上掲の表２では日本の自殺率は、男22・９人、女９・７人 総数16・１人で、女性の自殺率の対男性の比率は、42％です。米国は、27％、イギリス、フランスはともに29％。ドイツ31％、イタリア27％、カナダ34％です。他の先進国の男女比がほぼ30％以下になっているのに対し、日本の男女比は10％も高くなっています。この差がジェンダー差別と直接にリンクするものかどうか、少なくとも日本では女性が抱える負担、社会的圧力がここに掲げられた諸国よりも大きいことが背景にあると言えそうです。国会議員や会社役員の女性の割合が少ないこと等に目が注がれがちですが、もっと根本的に考えなければならない問題が隠れていそうです。

自殺の原因・動機をみますと、19歳以下の男性を除いて男女・各年代を通じて最も割合が高いのが健康問題ですが、その健康問題の中味をみると70歳以上の高年齢層が身体上の病気になっているのに対し、若年・中年層は殆どが精神的な病、しかもその5割近くがうつ病であり、このことは男女共通です。

その精神的な病をみますと厚生労働省のＨＰから拾える最新のデータでは、２０１７年の精神疾患を有する総患者数は、４１９万人、２０１４年から約27万人増えています。２００２年の総患者数は、２５８万人といいますから、21世紀になって15年足らずの間に、62％も増加しているのです。厚生労働省の患者調査による分類から、精神疾患のうち高齢者に多いアルツハイマー病などを除外すると、うつ病などの気分障がいや神経性障がいの患者数は、２００２年の71万人から２０１７年では１２８万人、79％増、神経症性障がい等は、50万人から83万人、67％増となっています。さらに別の厚生労働省の資料で、精神疾患を有する外来患者数の年齢階級別数字をみると、１９９９年／２０１４年の比較で75才以上の高齢者層が患者数、増加率とも最も多い（18万人から85万人、３６９％増）のですが、24才以下で18・5万人から36・３万人と、96％増とほぼ倍増しています。

一方、配偶者からの暴力、ドメスティックバイオレンスについて、内閣府の資料では２０１０年では警察への相談件数が３万３８５２件であったのに対し、コロナ前の２０１９年では8万2207件と143%増、2・4倍になっています。また、配偶者暴力相談支援センターへの相談の調査によると、年代別では10代から20代、30代の合計の割合が、半分近くを占めており、相談の内容は、精神的DVが約60%、身体的DVが30%、さらに約3割が、子どもへの被害経験も認識しているとの結果が出ています。同センターへの相談件数は、2019年度　119千件（うち来所相談数が約3割）が、2020年度では、137千件と15%増えています。また、性犯罪・性暴力被害者のためのワンストップ支援センターへの相談件数も、2019年上半期　1万9964件、同2020年　2万3286件、同2021年2万9425件と増え続け、電話相談、面談とも20代以下が約7割と、同じ内閣府資料は指摘しています。

「引きこもり」について内閣府の資料によれば、引きこもり者の推計数は、2015年度15～39歳の年齢階級を対象にした調査で54万人、2018年12月の40～64歳を対象にした調査では61万人としていましたが、2023年3月の公表では15～64歳のひきこもりの人は全国で146万人と推計され、その主な理由のひとつにコロナを挙げているとしています。また性別では2018年の調査では男性が4分の3以上を占めているのに対し、今回の調査の対象になったうち40歳から64歳まででは女性が52・1%、また安心できる「今の居場所」を尋ねる質問に対しては家庭や学校、職場などのリアルな場よりもSNSなどのインターネット空間と答える割合が高く、「誰にも相談したくない」と答えた人が15歳から39歳までで22・9％、40歳から64歳で23・3％に上るそうです。

次に職場における問題があります。厚生労働省の令和元年度個別労働紛争解決の施行状況によると、2019年度、都道府県の労働局及び労働基準監督署に寄せられた相談件数118万8千件のうち、民事上の個別労働紛争相談件数が343千件（内訳延合計件数）となっており、さらにそのうち、いじめ・嫌がらせが8万7570件 25・5％を占めるとしています。いずれも2019年度の実績ですが、いじめ・嫌がらせの件数は、2010年度3万9405件ですから、その件数は、10年足らずで2・2倍になっているのです。相談までに至らないいじめや嫌がらせは、表面に出た数字の何倍かになるのではと思います。同資料では、男女別の件数や割合は不明ですが、表面化しないケースでは、とくに女性に多いのではと考えられます。付け加えて、名の通った企業においてパワハラによる若手社員の自殺が報じられることも跡をたちません。過労死等防止対策白書では、自殺者の約1割（2019年 1万949人9・7％、2020年1万918人9・1％）が勤務問題を原因のひとつとしている、としています。また、同白書に記載された「令和3年版労働経済の分析」からの資料によれば、肉体的負担、精神的負担が大きいと感じた人の割合は、コロナ禍によって大きく増えています。資料から分析対象業種合計では、女性正社員61・9％（2021年1月、コロナ前の平時は、49・4％、以下同じ）女性非正規社員56・8％（36・5％）、男性正規社員50・5％（40・5％）、男性非正規社員42・9％（31％）の人が肉体的負担、精神的負担が大きいと感じています。また社会保険・福祉・介護事業では、負担が大きいと感じている人の割合は、女性正規社員75・6％（62・8％）、女性非正規社員82・9％（59・3％）、介護医療業では女性正規社員71・8％（57・2％）、女性非正規社員75・8％（54％）と、非正規社員の割合が正社員よりも高くなっています。その介護施設・福祉施設などでの従業者による虐待もときに重大な事件を引き起こし報じられることが度々です。因みに厚生労働省の調査結果では養介護施設従業者等による2021年度の高齢者虐待の通報相談件数・虐待判断件数はそれぞれ2390件・739件であり、10年前の2011年度の各687件・151件に比べて3・5倍、4・9倍になっています。家族などの養護者による高齢者虐待の通報相談件数・虐待判断件数は2021年度で3万6378件・1万6426件になっています。

◉第3節　ひとり親家庭

コロナ禍が襲った2020年には、前にみた通り女性の自殺が急増しました。健康問題、家庭問題が、自殺の理由の上位を占めていますが、その背景、入り口に、失業・解雇の経済問題があることは間違いないでしょう。総務省の労働力調査をもとに東京新聞は、「2020年平均の労働力調査では、非正規労働者数は前年比75万人減の2090万人……特に女性の非正規労働者は前年比50万人減で、男性の非正規と比べ約2倍の減少幅だった」と報じています。また、子どもの貧困率が、14%、7人に1人、さらに、ひとり親の場合の子どもの貧困率が48・3%　2人に1人が貧困状態に置かれています。

以下ではひとり親家庭を蔽う格差を見ていきたいと考えます。ひとり親については、厚生労働省が行った平成28年度「全国ひとり親世帯の調査」および令和4年4月公表の「ひとり親等支援について」にもとづいて、その実態をみると次のようになります。

・母子家庭は、123万2千世帯、うち母子のみが、76万7千世帯、父子家庭は、18万7千世帯、父子のみ　9万7千世帯になっています。

・世帯の平均年収は、母子家庭が平均年間収入243万円、就労収入が200万円、同居家族を含めた世帯全員の年収が348万円に対し、父子家庭は、それぞれ420万円、398万円、573万円になっています。母子家庭の収入は、父子家庭の収入の5割から6割程度なのです。
・就業状況は、母子家庭の場合、正規社員が44・2％　パート等非正規社員が43・8％に対し、父子家庭では、85・4％　18・2％です。平均年間就労年収は、母子家庭で正規305万円　非正規133万円。父子家庭で正規428万円　非正規190万円。
・離婚した父親からの養育費の需給状況は、現在も受けているが24・3％、平均月額は、4万3707円。母親からの場合は、3・2％　3万2550円。
・1ヶ月当たりの教育費は、全世帯平均3万1565円に対し、母子世帯は1万6291円。2018年のひとり親家庭の相対的貧困率は48・1％。

以上の通り、就労形態、収入ともに母子家庭が置かれた状況がわかると思います。教育にかけられるお金も、母子家庭は、全世帯平均の半分に過ぎないのです。

文部科学省の令和3年度子供の学習費調査によれば、幼稚園から高等学校第3学年までの学習費総額は、すべて公立に通った場合で574万円、すべて私立の場合で1838万円だそうです。また、大学の授業料は、国立大学が53万5800円、私立大学の平均は93万943円になっています。ひとりの子どもを大学まで出すのには、単純に計算すると、高校まですべて公立で国立大学に通った場合は800万円、私立大学では1000万円、幼稚園からすべて私立では、国立・私立大学いずれも2000万円を超える負担になります。以上の母子家庭の収入実態、また父親から養育費を受け取っている割合や、教育費の実態等を考えると、母ひとりの家庭で、子どもを育てることの大変さが分かります。これらの学習費総額には、学習塾などの学習補助費は含まれていませんから、収入格差が教育格差を生み出し、それが世代を跨いで引き継がれていくことが容易に想像出来るでしょう。

母子家庭については、戦争・戦禍で、父親を失った家庭への保護として、戦後の福祉政策に位置づけられていたと思いますが、一方で、戦災孤児が受けたと同様な理由のない差別と偏見が、当該の母子にそそがれてきたのでは、と思います。働き手が戦争や戦禍で失われたことは忘れられ、またそうでなくとも、母子家庭が、公的支援を受けていることに対するやっかみ・嫉妬、貧困と非行を短絡的に結びつける偏見や、もし母子家庭が、貧困から免れて、普通か普通以上の暮らしをしているとすれば、それは、母親が、世間的・道徳的に許されないことをしている筈だ、という邪推や偏見が世間の片隅に棲みついて、両親が揃った家庭も母子家庭と同じように貧しかったなかで、むしろそうであるがゆえに、そうした偏見と差別が残っていたのではと思います。かつて就職にも母子家庭が不利になるようなことが長く続いたのではないでしょうか。社会全体が貧しく格差が少ないところで差別が生まれ広がったのです。格差はこうした偏見や差別を呼び起こし、社会の分断と攻撃、加害者と被害者を生じさせます。

週刊誌で結婚問題を取り沙汰されたK氏、その母親への凄まじい攻撃は、まさにそうした偏見・差別が抜きがたくこの国に残っていることを示しました。その偏見・差別をかき立てた、週刊誌の記者たちは、戦後にあった偏見や差別から無縁の環境で育った世代であり、おそらくはその大半は両親が揃って経済的に豊かな家庭で育ち、塾に通って受験競争をくぐりぬけた末に大学を卒業し、さらには難関の出版会社への就職にも成功した人たちなのでしょう。しかし、高度経済成長、豊かな社会を皆が目指すなかで埋もれていた偏見や差別は、豊かな総中流社会という幻想が崩壊し、経済的格差、貧困が社会を蔽っていくなかで、再び頭をもたげてきたのです。そのうえに、現憲法に重ねて、その理念に忠実であろうとするリベラルな皇族一家に不満を持ち、バッシングを仕掛ける右派イデオローグと、週刊誌等の「売らんかな」の商業主義の「服従」が結びつくことによってつくり出されたのが、このヘイト週刊誌騒動だ、と私は思います。東京新聞の「時代を読む」(同2021年11月14日付)で、前法政大学総長の田中優子は、「自民党憲法改正草案が、『家族』を国家や社会の基本にし、……

極めて固定的な家族像を国家の基本に置くには、天皇家がそうでなくてはならない……天皇家とそこにつながる家族が『完璧』であるために……欠けるものがあるとしたらそれは『女性』のせいなのだ、」と述べ、そのことが今回を含めて度重なるマスコミの攻撃に関係するのでは、とも論じています。

本章では、子ども、若年層と女性に起きている事象についてデータを辿り、ひとり親、母子家庭の実態から窺うことのできる貧困と格差の問題をみました。ここまでの追跡ではカバーしきれなかった高齢者貧困層や障がいをもつ人やその家庭など、多数の「生きにくさ」に苦しみ、貧困や差別に悩む人たちが存在し、さらにコロナ禍で今日の食事にも困る人たちを生み出している状況は、日本の社会が危機に直面していることを露わにしています。

先にみた子どもの貧困率14％（17歳以下）は該当する年齢層の子ども人口約1900万人のうち260万人になります。人口の少ない順に4県（鳥取・島根・高知・徳島）の総人口の合計あるいは大阪市の総人口にほぼ等しい子供たちが貧困に置かれていることを意味します。またひとり親家庭の貧困率48・1％はOECD平均の32・5％に対してはるかに高い水準です。さらに内閣府の全国調査では貧困層の子どもの学校の授業が「わからいない」割合が比較的経済的に安定している層の3倍以上であることが明らかになったと新聞で報じられています。（東京新聞2022年5月6日）

一方で、企業の内部留保や富裕層の金融資産の蓄積はコロナ禍やウクライナでの戦争によってもとどまるどころか膨らみ続けていますが、その余慶を受けないとしても日常にそうした苦痛と無縁な者にとっては、その危機は他国で起こっている紛争や気候危機と同様に普段はよそごとに過ぎません。しかし、この日本のろくでもない政治の状況に促されてこんなノートを綴るのは、各地の紛争や気候危機とともにこの時代が生む分断、逼塞を次世代に降りかかる深刻な危機だという思いが背中を押すためでもあります。そうした状況を招いた世代に属するひとりとして、遅まきながらもここに到った時代、そして今を整理しないではいられない、そういう思いがあります。

第2章

能力主義と比較の呪縛

◉第1節　能力主義の台頭

リチャード・ウィルキンソンとケイト・ピケットの2人の共同研究による著作『格差は心を壊す　比較という呪縛』は、「所得格差の大きな社会では、格差の小さな社会よりも、人々はさまざまな健康や社会の問題に苦しむ」（同著　プロローグP001）ことを、多くのデータから裏付け、どのような社会を目指すべきか追究しています。注①

思うに日本を蔽う逼塞・分断の背景、前項でみてきた子どもたちや若者を追い込んでいる正体のひとつに、この「比較という呪縛」があるのではと思います。バブル経済崩壊後の90年代の初頭、いわゆる日本型会社経営の攻撃の的になったひとつが年功序列制度ですが、多くの企業が以降、業績・能力を評価してそれをもとに賃金や昇進が決定される制度を導入することに熱心になり、働く従業員もこれを受け入れていきました。爾来、「競争」させ（し）「比較」し（され）「選別」し（され）、「業績・能力」に応じて賃金に差をつける（られる）ことが、「公平だ」という考えに取り憑かれています。

人は与えられた遺伝的特質や、家庭環境、社会環境などさまざまな「因」や「縁」によって人それぞれ「素質」、「性格」「能力」が異なるように、また「業績・成果」なるものが例えば企業の信用や評判・継続した社員の努力、当期の市場環境、時代や場所のニーズなど様々な要因が重なって、ある時点・期間の個人の「業績・成果」が生まれ、また個人の「能力」も影響されるのであって個々の社員の賃金に直接結びつけるための「公平」な評価基準は、存在しません。あるとすればそれらしい「言葉」で飾って仕立て上げたものです。他方で経営の代表取締役やその他取締役・役員が、その高額な報酬の根拠として、「コーポレート・ガバナンス」に尤もらしく記載してある「報酬基準」は、後述するように「株主の代理人」としての「飴」に当る自己契約に過ぎない後付けの理屈です。また、立派な評価基準ができ訓練を受けた良心的な複数の評価者が評価に加わるとしても人の主観、悪く言えば偏見、先入観が、評価に紛れ込んでくるのを避けられないでしょう。また、ある時点での「業績・成果」の評価が、被評価者の「能力」として刷り込まれ、それがさらに周りに波及し、評価者以外の「比較・評価」を支配することも、少なからずあるでしょう。「人」が行うことなのですから。カレン・フェラン『申し訳ない、御社をつぶしたのは私です』（大和書房　２０１４年）は経営コンサルタントの持ち込む理論、「評価基準が無数に増えてしまう」業績評価システムなどの内実を、大手のコンサルタント会社で自身もコンサルタントであった著者が告白しています。

しかし日本社会はこの流行に乗せられてしまいました。もちろん、経営側には、バブル崩壊、80円台をつけた円高による人件費をはじめコスト競争力の喪失、高度経済成長後の日本の市場の成熟化から将来への生き残り策を講じるよう迫られた事情がありました。株式市場も、マスコミも社員を減らすリストラ策を実施する企業を後押ししたのです。かつてマスコミは米国流の経営を短期的な利益を優先するものとして批判していたのですが、それがある日突然、口を拭ってては手のひらを返したのです。そんな中、企業は製造業を中心に生き残り戦略として、人件費の安い海外への生産拠点のシフトを加速しましたが、生産や業務の外製化、企業買収などの経営手法とともに、同時に入り込んできたのが、目標管理や、業績・評価主義＝能力主義でした。

それがさらに、80年代からの公営企業の民営化、労働組合・労働運動の弱体化を引き継いで生産や業務の外製化にあわせるように労働規制の緩和、労働者人材派遣の原則自由化、対象拡大に進み、今日までの新自由主義経済、グローバリズムの、この国での流れをつくってきたと思います。自由競争から、より安くよりよいモノが生まれる、そのためには競争を阻害する規制・制度をなくし、頑張る者が報われる社会を！という規制緩和と競争を賞揚するかけ声が、マスコミを通して恰も正義のように叫ばれるごとに、その声の大きさや「多様な価値観にあった働き方」等の耳に心地のよい囁きに私たちは立ち止まって考えることをしないで追随してしまいました。政府と経団連を中心とする経済界、その波にここぞとばかりに乗ったコンサルタントや経済学者、評論家、そしてマスコミが一斉にタッグを組んで、バブル崩壊後の私たちをあおり誘導していったのです。

上述した企業の目標管理や業績評価・能力主義が浸透したのはおそらく1990年代半ばから2000年代以降のことだと思いますが、職場に競争と格差、そして比較を生み出し満足する者がいる一方、心に不調をきたす人達が多く出て来ました。職場でのいじめについては、2010年代に相談件数が年々急角度で増えています。また25才から54才までの年齢階級の、うつ病などの精神疾患の総患者数をみてみますと、1999年には81万人だったのが、2002年には106万人、それが2014年には、147万人になっています。

新自由主義経済とそれに結びついた能力主義が、世界の先進各国で権威をふるうようになったきっかけには、それぞれの国の経済的政治的情勢が深く関係しているでしょう。前述したように日本では、バブルがはじけ、かつて「ジャパン・アズ・ナンバーワン」と賞賛された日本的経営が、悪者扱いされるのと入れ替わりに、横文字できらびやかに飾り立てた一連の経営手法を連れて上陸してきました。日本でこれほど受け入れられるようになったのには、そのときの政治的経済的事情などの外的要因のほかに、そこに参加する人たちの内部にそのための土壌が用意されていたのでは、と思われます。

小坂井敏晶は、その著作『責任という虚構』において、責任という虚構が成立するには人間は自由意志を持った主体的存在である、という近代西洋の常識がある、と指摘し、自由意志概念のイデオロギー性を暴き出し秩序維持装置の仕組みをあぶり出しています。注② 本来「自由」とは、人間が人間らしく生きるための「自由」であり、君主制や封建制における精神的身体的束縛からの「自由」、或いは貪欲や怒り、嫉妬・偏見や愚かさからの内面的な「自由」であったものが、いつからか「自由」そのものが至上の価値をもつというようにイデオロギーになり、それを「神のみえざる手」に結びつけた経済学が政治と一体化し主流になって企業を蔽いつくし自由競争を至上とする物語を紡ぎ出し、個人と社会を支配してきているのではないでしょうか。

人間が自由意志をもつ存在である以上、その自由意志すなわち自己を実現することが、すべてに優先する、そうして実現された自己は、その集団や社会によって当然に「比較され、評価され、選別される」べきであるとする、あるいはそうして欲しい、という執着や願望、「業」は、文明を築いたときから人の心に住みついていたのでしょうか。「比較」、「選別」は、それゆえに当然に受け入れられて、人は「競争」にすすんで従い、「比較」「選別」に「服従」し、競争への参加を阻まれた者、脱落した者は「疎外」に身を焦がし、競争をくぐり抜け勝ち上がった者はそこからの脱落を恐れてさらなる競争に挑みやがて憔悴する、共に却って自由意志を失い自由に背をむけてしまう逆説がここにあります。新自由主義についてデビィッド・ハーヴェイは「いかなる思潮も（ある時代に）支配的になるためには、その社会に固有の可能性とともに、（その時代の人）の直感や本能、価値観や希求にアピールする、概念装置を提示しなければならないとして、ネオリベラリズムが採用したのが、『基本原理としての人間の尊厳と個人の自由』を文明の中心価値におくことであった。」と述べています。[注③] いま私たちはその『自由』の罠に落ちて「自由」とともに「公正と平等、人間の尊厳」を喪失してしまってはいないでしょうか。

注①：リチャード・ウィルキンソン、ケイト・ピケット『格差は心を壊す　比較という呪縛』（川島睦保・訳　東洋経済　２０２０年）
注②：小坂井敏晶『増補　責任という虚構』（２００８年東京大学出版会より刊行、２０２０年　増補のうえ文庫化、ちくま学芸文庫）ｐ００４。
注③：デビィッド・ハーヴェイ「A BRIEF HISTORY OF NEOLIBERALISM」(1. Freedom's Just Another Word… P5) から〃

◉第2節　比較の呪縛

「比較・選別」は、人と人の間に、そして社会にある境界線を引き「分別する」ことでもあります。そこから、どのような呪縛が私たちの内面で起こるのか、例を挙げて考えてみます。

私が通った高校の体育の授業では、一定の運動能力を基準としてその基準線以上の生徒と基準以下の生徒の2つにグループ分けして授業を行っていました。例えば100m走と走り幅跳び、ボール投げの記録を総合して、その点数をもって境界線を引き生徒を分けたと仮定して、これを「比較・選別」のケースとして考えてみましょう。まず、どのような理由から、そのような選別・グループ分けをしたのでしょうか。考えられる理由はいくつかあるでしょう。ひとつはその学校が第2次大戦の戦前戦中、優秀な軍人を輩出するための文武両道のエリートを育てるという国家主義的な考えを戦後も引き継いできたから、と言うことが考えられます。もうひとつの根拠として考えられるのは、これと反対に運動能力のほぼ同じか近い者同士を集めたグループに分け異なるカリキュラムで授業をした方が、本人達も自由にのびのび体力をつけ、記録や能力差を気にせずに、各自もって生まれた素質に応じて能力を伸ばせるだろうという、自由主義的な考えです。実際の理由や背景は分かりませんが、国家主義的、自由主義的など、相反する理由から結果的に同じ境界線を引く選別・分類に辿りつくことがあり得えます。

基準以上の生徒が集められたグループ（以下Aグループと呼び基準以下のグループをBグループとします）の中では、さらに競争させることでより早いタイム、より高いレベルの記録に挑戦させることができ、Aグループの生徒は、当然Bグループの生徒よりもいい点数を貰うことになるでしょう。一方運動能力が低いBグループに分けられた生徒は、自分の「素質」や

「能力」が〝標準〟に届かない事実に直面させられる一方で、難度の低い授業を受けることになります。なかには劣等感や無力感など、心にさざ波をたたせる者がいるかもしれません。他人（例えば、好意をもった異性の同級生）が自分に貼られたレッテル（と考える）をみて、自分を劣った者だと見なすだろう、と想像するのです。勿論Bグループの人間がこのような感情にとらわれるのは少数でしょう。走りの速いのや運動神経のよさは、家系や血統による、と考えるのは当たり前でしたし、今日でも、同じだけの努力をしても誰もがイチローや大谷、ボルトになれないことはすぐに分かるのですから、この一事で、そうした劣等感や無力感は、とるにたらないこと、と納得してしまうかも知れません。しかし、何事にも自尊心が強く育った子の場合はどうでしょうか。また、努力がたりないと思って、運動部に入ってそこでもまた挫折するとしたらどうでしょう。一方、Aグループの生徒は、例えば基準を挟んでの差が、わずか数秒の差、あるいは数十センチの差でAグループに選ばれたことや、自分が、幸運にも運動神経に秀でた家系に生まれたこと、またBグループの生徒の一部が劣等感や、無力感に囚われていたとしても、そのことを想像したり同情をよせることは少ないでしょう。疑問に思っても、なにしろ、「客観的」な基準で、「公平」に選ばれたのだと、自分に言い聞かせて納得してしまうでしょう。他方Bグループのある者は小さな劣等感や無力感を何かをきっかけに自分や両親、他者に対する怒りに変えるかもしれません。Aグループのある者の無関心は、自分より劣った者たちを区別し蔑みや排除することへ変わっていかない保証もありません。

以上のケースでは家庭環境や社会環境などは想定外であり、せいぜい目に見えない「遺伝子」でありその分「比較の呪縛」の苦痛は少なくて済むかもしれません。では家庭環境や社会環境が入りこむケースはどうでしょうか。

次に考える例は、補習教育、学習塾から始まって受験、学校における選別です。そこでは運動や身体能力ではなく、いわゆる「学力」で比較・評価・選別され、線引きがされます。多くの場合その結果が次の段階の選別や実社会につながる、と考えられています。前の例のように運動能力という一部の分野の「能力」で判断され境界線が引かれるのとは異なって、有名進学校や大学、大企業に入るとか、専門的な職業につくことができるといった目的や有用性が付着する分「競争」は苛烈になり、「比較・選別」が心にまきおこす波の度合いを激しくすることが予想されます。しかし、その「競争」の以前に、経済的問題や家族介護など家庭問題などの環境要因から、そこに参加できない子ども達もいれば、「頑張れ」ない遺伝子をもった子どもたちもいます。NPO法人の代表理事を務めるという今野晴貴氏は、「『親ガチャ』に潜む闇　社会保障政策の充実を」（東京新聞寄稿）のなかで、教育費負担の重さから、中高生に「自立」を迫る事例も珍しくないとし、若者たちに広がった「親ガチャ」（どんな親を持つかで人生が決まってしまう意味で使われる）や、子どもに過度な期待を寄せてしまう「教育虐待」を指摘しています。難関大学を目指すクラスにいる者も、現在のクラスから落ちないよう、常に競争に追い立てられストレスを抱え込む生徒も少なくないでしょう。「比較の呪縛」は、境界の内外、子どもや若者本人、そして両親も捉えその心に波を立ち騒がせるのです。

実社会ではどうでしょうか。「能力が高い」と選別された側にいる子どもたちがやがてそうした過酷な「競争」を経験し、一流大学を出て名のある大企業に正社員として就職する、高度とされる専門職に就く、あるいは起業して成功し富を得たとします。その者たちは、得られた地位や成功が、例えば、両親が揃って豊かな家庭のなかで、十分な教育環境を与えられ、よい教師やサポート役に恵まれたお陰だとか、偶然や競争相手のちょっとしたミスのために、幸運の順番が回ってきたなどと考えるよりは、むしろ試験に合格するために費やした自分の努力や頑張り、人とは異なる発想を現実のものにした自分の才能によって、その成功が実現したのだと考え、信じることになるでしょう。彼等彼女等の大半が、自分と異なり望まない職や雇用形態、あるいは職に就けない人達に対して彼らが生まれ、それまでに置かれていた環境や内部の要因、遺伝子にまで想像力をはたらかすことは、難しいのかもしれません。何しろ「競争」を是とする世の中で「大変な競争」に揉まれて「勝ち抜いて」きたのです。それに、一流大学や大企業に合格する、或いは実業で成功する「能力」は、そうした同情や思いやりをもつこととは無縁ですし、彼等彼女等の周りは、同じような環境にいた人ばかりで境界線の反対側にいる人たちの存在に対して想像力は働きにくいのです。またその人たちと交わる機会も少なくなります。比較・評価・選別を通過した結果、恵まれた社会的地位を獲得し成功した者にとって、そうでない者を自分と比較・評価・選別し、彼等彼女等を「自己責任」として突き放すことが容易になります。一方で、境界線の内外で思うようにならなかった、競争から脱落したと考える人たちは、成功に満足した者と自らとを比較・評価・選別し「自己責任」として自分の無力さ、「親ガチャ」の家庭環境・社会環境に絶望するかもしれません。

前に掲げた小坂井は、別の著作『格差という虚構』（ちくま新書　2021年）のあとがきで、「能力を正当に評価すべきだと説く論者がいる。だが、この発想は出発点がすでにおかしい。評価は比較であり、必然的に同質化を招く。多様性は逆に比較不可能な才能が共存する状態だ。平等で客観的な評価は個性と相容れない。我々が目指すべきは全員が少数派として生きられる多様性に溢れる社会だろう。規範論は……何が正しいかを皆が決め……「同じ良いもの」に皆がひきつけられ、社会が画一化する」と述べています。注①

もちろん能力主義が分断する、現代社会の問題は、日本に特有の問題ではありません。能力主義という訳語のもとの「メリトクラシー」は英国労働党のマイケル・ヤングの著書名（1958年）から、普及することになったのだそうですが、新自由主義経済、グローバリズムによって、はたまた気候危機とコロナ禍によって、社会の分断が露わになり、様々な矛盾を抱え込んだ国々で、メリトクラシーと正義の問題としてとり上げられています。それぞれの国で、歴史的背景や社会構造が異なる以上、能力主義や不正義の問題は、様々でしょうが、マイケル・サンデルがその著作『実力も運のうち、能力主義は正義か？』の中で指摘するように、能力主義という「専制」は、いずれの場合も「置き去りにされた人には、自信を失わせ、屈辱さえ感じさせるほどの敗北感を植え付ける」と同時に「頂点に登り詰める人の場合、不安をかき立て、疲れ切ってしまうほどの完璧主義に導き、脆い自己評価を能力主義的なおごりによってどうにか誤魔化すよう仕向ける」のです。注②

この指摘を日本に当てはめるならば、境界線によって分断された社会で、競争から疎外された無力感や「自己責任」という言葉に身をこがす人たちと、他方で競争を勝ち抜き頂点を目指して過重労働と不安に憔悴する一群の人たちの異なる空間です。前者の空間では屈辱や怒りをより弱い者への攻撃に向けるSNSでのヘイトや特定の人物へのバッシングが「正義」の仮面をかぶって横行し、ときに屈辱や怒り、絶望は、見ず知らずの他者を殺害し自らの刑死を望む地点まで人を運びます。反対側の空間では、虚構の上にたった自己評価、能力主義的おごりや「勝ち組」からの転落を恐れる不安を権威への服従に振り向け、その忖度や不正がはびこります。自殺に無関係の群集を巻き込もうとする犯罪が珍しくない一方で、先年の森友問題をはじめ法律・慣行のねじ曲げ、黒塗りの公開文書や統計の操作など、後者の例は枚挙にいとまがありません。「比較・評価・選別」の「競争」を生き抜いてきたエリートにとっては、そこから脱落することは全人格の否定に等しいのでしょう。彼等にとって権力あるいは権威への「服従」以外の選択肢は欠落しているのです。「比較・評価・選別」の「競争」の呪縛のなかで、正義や倫理観に憤死する人がいることへの想像力は育てられなかった、「豊かな」社会の「豊かな」人たちの家庭では難しいことなのでしょうか。

そんな「豊かな」社会の「豊かな」家庭に育った人とその言動を、私たちはまた、この国の二世、三世の政治家にみます。それはメリトクラシーというよりは、むしろアリストクラシー（貴族政治）です。選挙や税などの諸制度が「家柄」や「権威」を後押しし、選挙民が有難がってその代表を選ぶとすれば、民主政治が行われているとは言い難いでしょう。

注①：小坂井敏晶『格差という虚構』（２０２１年　ちくま新書）Ｐ３３９
注②：マイケル・サンデル『実力も運のうち、能力主義は正義か？』（２０２１年　早川書房）Ｐ２６４

◉第3節　平等社会の崩壊

よい会社に入るため、あるいは医者や弁護士、上級公務員を目指して、よい大学、その手前のよい高等学校に入るための受験競争は以前からありました。また、専門職を目指して大学以外の進路を選ぶ、経済的理由から進学を諦める、たんに勉強が嫌いだから進学しないことも普通にありました。一方で、会社では男女の給与差別が総合職と一般職という呼称で存続し、学卒とそれ以外の社員の賃金や昇進のカーブが異なっていたことも事実です。しかし、かつては「能力」に対してサンデルの言葉にあるような「専制」の地位を、従って「比較・選別」に大きな力を与えてはいなかったのです。農家や漁師、職人の家に生まれ、初めは嫌々でその道に入ってもやがてはそれらの生業・職のよさを知っては誇りをもつ多数の人間がおり、〝十人十色〟の人間を受け入れることのできる多様な社会があって、今よりはるかに機能していたのです。

いま日本の社会に引かれた大きな境界線は、正規雇用と非正規雇用の境界線です。その境界線は、世の中を「能力主義」のベールが蔽っていくと同時に、人の内と外、社会を変えたように思います。経済界が望んだように雇用の規制が緩和され、男女雇用機会均等法と抱き合わせで成立したのが1985年の労働者派遣事業法でしたが、1995年に出された日経連（現経団連）による「新時代の日本的経営」以降は非正規の雇用形態が一般化し、就労者の4割近くが非正規雇用になるまで拡大してきました。政治の場で、「分配」か「経済成長」か、どちらが優先か等と喧伝され、それも中味のある議論がされないままに、この国は出口のみえない経済・社会の停滞が続いています。米英、欧州各国でもコロナ禍とウクライナ侵略によるインフレによって巨大企業・富裕層による「富」の幾何級数的な蓄積への批判がさらに集まっていますが、平均給与や1人当りの国民所得が他の先進国から置いてきぼりになり韓国にも抜かれ、いたる所でこの国の綻びが明らかになり格差の拡大とそれがもたらす不平等・不公平、貧困の問題はより深刻になっています。以上について、経済的格差と貧困についてのデータを私のできる範囲で集めてみました。

70年代後半から世界の先進国の間で、新自由主義が台頭するなか、高度経済成長の余波が終息し、バブルの崩壊した直後の日本は、従来の日本型資本主義を捨て、米国流の経営手法を採用する途を選び、従来の年功序列に代わって能力主義、短期的な競争力に重点をおいて雇用形態の規制を取り外し、正規・非正規の境界線を設け、線引きをして雇用者を選別しました。この結果、15~64才の就業年齢層で、非正規雇用者の割合は、男女総数が34%（男性18%、女性54%）となり、15~44才でみても総数32%（男性18%、女性44%）になっています。

ＯＥＣＤの調査レポートでは、教育を終えて働く15〜29才の若者の43％が非正規雇用、また正規雇用と非正規雇用の賃金の差は、非正規は、20代初めで15〜20％としています。注② また非正規雇用者の91％が３００万円未満の所得階級に属しています。非正規雇用者のなかには、年金の不足分、主たる生計維持者の収入を補うなどの就労者が入っていますが、正規と非正規の両者の間に大きな経済格差があり賃金労働者の間で2極に分断されているのです。また賃金の格差は年金にも反映され、退職金については非正規社員に対して不支給であっても合法と判断されています。

労働政策研究・研修機構（ＪＩＬＰＴ）のユースフル労働統計２０２２によると、学校卒業後ただちに就職し60歳で退職するまでフルタイムの正社員として勤めた場合の大学卒男性の生涯賃金は2億6千万円、これに退職金とその後に平均引退年齢までフルタイムの非正規社員を続けて得られるとするとその額は3億3千万円と推計されるそうです。但し、以上はすべての企業規模を基にした数字で１０００人以上の規模ではそれぞれ3億円、３億７千万円になります。これに対して学卒後60歳までフルタイム非正規社員として働いた場合の生涯賃金は1億6千万円となっています。60歳までの生涯賃金で1億円から1・5億円の差ができ、これに年金を加えると大きな差になることが推測できます。

平等あるいは不平等について、よく使われるジニ係数でみてみると、厚生労働省の資料では、１９９０年の当初所得ジニ係数と再配分所得ジニ係数が、それぞれ０・４３３４、０・３６４３、２０１７年が、０・５５９４、０・３７２１となっており、税や社会福祉給付による所得再配分の改善度が、１９９０年の15・９％より２０１７年の33・５％に改善されたとしています。しかし、この数字からも明らかなようにいずれのケースでもジニ係数が上がり不平等が増していることを表わしています。各国との比較でも、ＯＥＣＤ統計では日本は39ヶ国中不平等度の高い方から、３分の１のグループに属します。また、上位10％の可処分所得総額の下位40％の可処分所得総額に対する比率でみた平等度の指標であるパルマ比率でみても２０１８年で、１・28と、１以下の北欧諸国や、１・05のドイツ、１・14のフランスより高く、同じくＯＥＣＤのなかで高位グループです。不平等、格差が拡大して、英米型（米国の１・76、英国の１・55）に近づいていると言えます。

グラフ１は１９７７年、１９９７年と２０１７年の３時点における給与所得階級別・労働分布（正規非正規・男女総数）がどのように変化したかを表したものです。

給与所得階級の３００万円未満、３００万円以上７００万円未満、７００万円以上の３分位をみると、１９７７年では、３００万円未満に79％の人が集中しています。平均給与所得が最高であった１９９７年には、下位が45％になって３００万円以上７００万円未満の中位が41%まで上昇します。ところが２０１７年では、中位は36%に減少、下位は52%に増加しています。高度経済成長期の後半から90年代前半までは等しく所得が増えていくと感得できたのでしょう。しかしバブルの余波が終わるのを境に正規非正規の境界線がひかれ、その平等感は失われていきます。

　では、貧困はどうでしょうか。第1章で、子どもの貧困率が14%、7人に1人、更にひとり親では、48%、2人に1人が貧困線以下での生活を余儀なくされていました。では、その他の年齢層では、どうでしょう。ＯＥＣＤ統計によれば、18～65才のまさに就業年齢層で13%、ＯＥＣＤ諸国中貧困率の高い方から9位、66才以上では20%、10位、5人に1人が貧困線以下、全年齢層では15・7%です。これは、例えば、デンマーク（17才以下4・7%、18～65才7・5%、65才以上3%）

グラフ1　所得階級別（正規非正規・男女の総数）労働力の分布割合

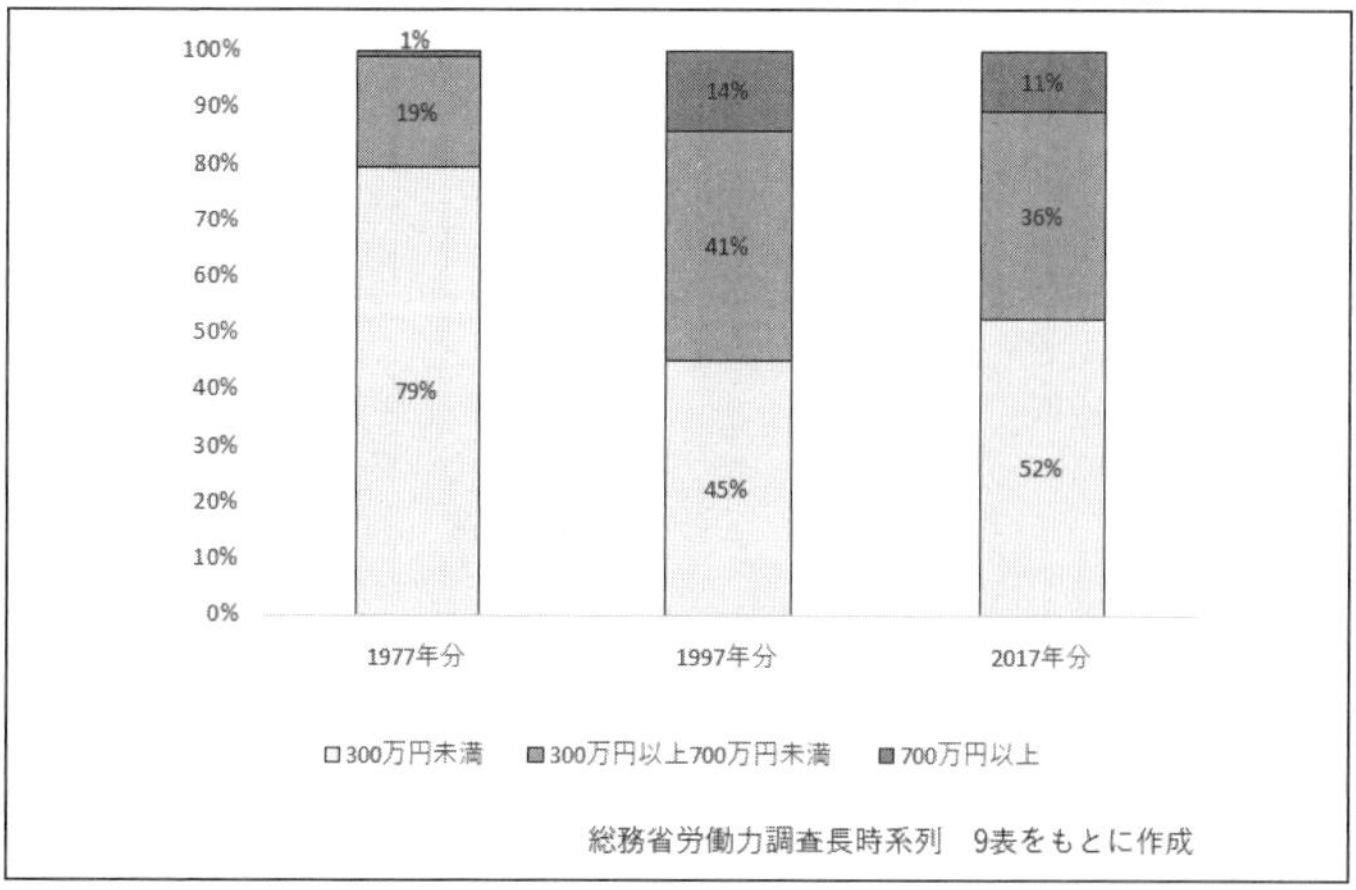

総務省労働力調査長時系列　9表をもとに作成

は勿論、フランス（17才以下 11・7％、18〜65才 8・6％、65才以上 4・1％）からも、大きく差をあけられています。

収入から直接税、社会保険料、企業年金や自動車税などを引いた世帯当りの可処分所得を世帯の人員数の平方根で割って調整したものを等価可処分所得と呼び、その等価可処分所得の中央値の50％を貧困線として、ＯＥＣＤの基準に従って厚生労働省が3年毎に発表していますが、それによれば２０１５年の中央値は２４４万円、２０１８年で２５３万円、従って貧困線は、それぞれ１２２万円、１２７万円となっています。日本の人口1億２６００万人ですから、その15・7％、１９７８万人が、貧困線以下で生活していることになります。

橋本健二はその著書『アンダークラス』の冒頭で、永山則夫の「驚産党宣言」なる一文にある「大ブルジョワジー、プチ・ブルジョワジーおよび貴族的プロレタリアート、ルンペンプロレタリアート」の登場を「不気味な予言」として引用しながら、日本の社会構造を資本家階級（経営者・役員）、新中間階級（被雇用者のうちの管理職・専門職・上級事務職）、正規労働者とこれらから分断されたアンダークラスの4つの階級と旧中間階級（自営業者・家族従業者）からなる「新たな階級社会」として分析しています。アンダークラスという言葉は新しい造語ではなく、かねてから階級研究や貧困研究で使用されてきたもので時代や論者によって違いがあるが、共通項は永続的で脱出困難な貧困状態に置かれた人々というところにあるといいます。橋本によれば、「非正規労働者のうち家計補助的に働いているパート主婦、非常勤の役員、管理職、資格や技能をもった専門職を除いた残りの人々を『アンダークラス』……その数はおよそ９３０万人で、就業人口の15％を占め、急速に拡大しつつある」としています。さらに前著に続く『アンダークラス２０３０』ではアンダークラスに、非正規労働と無業を往復する失業者・無業者」を加えると１２００万人に達し、今後コロナ禍によって企業の倒産で正社員の地位を失った人、経営破綻で自営業を廃業せざるを得なくなった人々が加わると「アンダークラスはさらに巨大化するに違いない」としています。同著によれば氷河期世代（１９９４年から２００７年の間に就職期を迎えた世代）の非正規労働者の個人年収２０３万円（男性２３０万円、女性１７９万円）、世帯年収３２１万円であり、45・3％の者は金融資産をもたず、貧困率は41・3％（男性31％、女性50％）に対して、企業の管理職や専門職など橋本の呼称する「新中間層」の年収は４７２万円（男性５６６万円　女性３２４万円）、世帯年収７４４万円、金融資産のない者の比率12・6％、貧困率は2・6％（男1・4％、女4・7％）としています。アンダークラスは新中間層に対して個人年収で43％（男性41％、女性55％）、世帯年収でも43％しかなく、両者の間には大きなギャップがあります。年齢別では15〜39才が４９７万人、40〜64才が４４９万人、65才以上が１５７万人としています。注②

橋本が、若年層・女性を中心にアンダークラスを様々な角度から分析し、日本の現在と近い将来に警鐘を鳴らすのに対し、寺島実郎は、『シルバー・デモクラシー』のなかで、今後高齢者の貧困化、二極分化がより一層際立つとし、中間層から下流層（金融資産1000万円以下、年金・所得が200万円以下）への没落、老後破産、世代間格差の問題を指摘しています。以上のように「1億総中流社会」、GDP世界第2位の平等・豊かな社会は、既に過去の話であったことがわかります。

英国のサッチャーイズム、米国のレーガノミクスそして中国の経済開放によって新自由経済主義が世界を巻き込んでいくなか、米国の圧力のもとでグローバリズムの名で日本も蓋いつくされていくことになります。その流れのなかで正規・非正規労働者の雇用形態、業績評価・能力主義を財界と政・官が主導し経済学者・マスコミ・コンサルタントがはやし立てました。こうして社会のなかに新たな境界線が引かれ階級社会を作り出し、人の「比較し選別する」心のさざ波が大きな波となって人と人の間を分断し孤立させることになったのではないでしょうか。それは戦後人々が「人間らしく生きることの出来る社会」と言う想いの共有と生存のための格闘や努力、幸運がもたらすことになった「一億総中流社会」、平等社会を崩壊させるものでした。もちろん平等社会といっても現実には平等ではあり得ません。それは誰もが衣食住に困らない人並みの暮らしができる平和で、かつ等しく望みを持てる未来への共同の想像力が働いている社会と言っていいかもしれません。

以下ではソ連東欧の社会主義圏が解体し中国はじめアジア諸国が経済的発展を実現するなど世界が地殻変動をおこすなかで、高度経済成長からバブル崩壊へ、その平等社会を階級社会へと変貌させた新自由主義について政治的経済的な出来事を追っていきます。

注①：OECD (2017) Investing In Youth : http://dx.org/10.1787/9789264275898, P48から

注②：橋本健二『アンダークラス』（2018年　ちくま新書）P007/008 P10、P244

同『アンダークラス2030』（2020年　毎日新聞出版）P51 P159等から。

第3章

昭和と一億総中流社会の解体

◉第1節　生活から市場へ、労働者から消費者へ

戦後の焦土からの復興、そして高度経済成長から、「一億総中流社会」と言われた「豊かな社会」を実現し、その後の世界史的な地殻変動から平等社会の崩壊を迎えるようになるまで、その時代の変遷を祖述する知識も能力も私にはありませんが、次の数人の人たちの著作の助けを借りながら、これまで日本に起こった産業構造の変化、時代の流れをみていくことにしたいと思います。

最初のひとりは、経済学者の岩井克人です。彼は、「産業資本主義の利潤の源泉とは、人間の労働力が、マルクスの言うように剰余価値を創造する神秘的な力を持っているから」ではなく「商業資本主義が発見した『差異が利潤を生み出す』という利潤創出の基本原理である」と言います。その「差異」は、「産業革命による工場システムの発明と農村に滞留する過剰人口の2つの歴史的な要因がマクロ的に作り出した『差異』」であって、「産業資本的な企業とは、労働生産性と実質賃金率との間の『差異』を媒介して『利潤』を手に入れている存在であった」としています。しかし、「利潤がプラスである限り、資本蓄積は進み続け、労働雇用を増やし続け、実質賃金を上昇させ……いつかは『差異』を消し去ってしまう」とし、

日本は60年代後半に、資本主義的発展のいわゆる「転換点」に到達してしまったとしています。岩井は、こうして「産業資本主義」が終焉した後の資本主義を、最も純粋な資本主義の形態、「ポスト資本主義」と名付け、「新しさ」がひたすら喧伝され、「新しさ」しか価値がなく絶えず新しい技術、製品、市場、組織形態を追求せざるを得ない、永遠の「創造的破壊のプロセス」と解説しています。[注①]

岩井の論考を次の事実で確かめてみます。表3は産業別の国内総生産および就業者構成比を、20年ごとに表したものです。表から読み取れるように、1次産業と2次産業の間には1950年において前者の就業人口が50%近くに対して、総生産は26%と明らかに「差異」が生じています。その「差異」によって、1次産業から2次産業への「雇用」の移動が進みますが、1970年には、総生産割合では3次産業が2次産業を抜いてしまいます。そして1990年には、3次産業が国内総生産割合、就業者構成比とも2次産業を凌駕して、コロナ前の2019年では、両方とも73%を超える、いわば3次産業社会になっています。

ここで一旦、経済学者である岩井の言説を離れて、吉本隆明の声を聞

表3　産業別国内総生産・就業者の割合の推移

%	第1次産業		第2次産業		第3次産業	
	国内総生産	就業者数	国内総生産	就業者数	国内総生産	就業者数
1950年	26.0	48.6	31.8	21.8	42.2	29.7
1970年	6.1	19.3	44.5	34.1	49.4	46.6
1990年	2.5	7.2	36.6	33.5	60.9	59.4
2019年	1.0	3.3	26.0	23.3	73.0	73.4

内閣府国民経済計算をもとに作成

いてみたいと思います。吉本は、「わが昭和史」のなかで、「80年代に入って、60年から80年のあいだのどこかでとても顕著な日本の社会の転換のピークが」あって「この変化が社会・文化・経済……を根底から変えたのではないか、と言う考え方が頭をもたげてき」たと言います。それは例えば「文学、映画、テレビと全てにわたって軽さ、明るさの感性が充満してきた」現象であり、吉本は、旧来の左翼の着眼点、重点であった「都市と農村の対立」が副次的になった時期がいつかを突き詰め、転換期を72年前後の2、3年だろうと思ったと述べています。そこから吉本は自分の仕事の方向性を、「大衆文化の問題を正面に据え」「都市の実態をもう1回考え直す」ことにしたと言っています。注②A

以上の吉本の観察は前述の岩井の主張に符合しますが、これに続く部分で「旧来のロシア・マルクス主義を源泉とする『マルクス主義』が大敗北を喫している中で、徹底的な否定をくぐらなかったら、理念の再生なんていうのはあり得ない」として、進歩的知識人を批判した後に、「超都市的なもの、第3次産業的なものを含めて分析すべき主題に突っ込んで」いるとし、「世界の所得格差、つまり貧富の差が一番少ないのは日本」「去年のデータで言えば、9割1分の人が中流だと思っている……10年、15年後には9割9分の人が、私は中流と言うでしょう。しかし、9割9分文句がないという社会は不気味で……もしかすると社会システムがうまく働かなくなるかもしれない……そのときにはロシアから始った発想ではない、全く違った左翼性が必要になる可能性」について触れています。そうして「マルクスはもしかしたら10年、15年後に蘇生するかもしれない」「先進国をみれば、マルクスが分析した時代の資本主義から、言ってみれば『超資本主義』へ移行してしまったんだから『新しいマルクス＝救世主』が登場して思いもよらない思想を提示してくれるかもしれない」と結んでいます。注②B

興味深いとしたのは①これが書かれたのが阪神・淡路大震災の前年1994年で、当時まだ9割を超える人が中流だと思っていたこと、②岩井が「産業資本主義」の終焉の後「ポスト資本主義」と名付けたように、用語は違え「超資本主義」として日本の社会の転換期を捉えそこから「大衆文化」と「都市」の問題を仕事のテーマに据えるとしたこと、③さらに10年後15年後に超資本主義社会がうまく行かなかったとき「新しいマルクス＝救世主」としてあらわれるかもしれない、と言及していることです。

いま日本史年表をめくると1990年2月に株価の暴落が始まり、翌年にかけて大手金融機関の不正融資や「特金信」を巡っての損失補填の問題が発覚し、その後、金融機関の経営危機、倒産、合併が相次ぎ、98年からの「金融ビッグバン」に向かっていきます。また1990年には、1ドル161・15円の最安値だったものが、急激に円高が進み、1993年最高値102・35円、1994年には97・65円（いずれもTTM）まで上昇、翌年には80円を割り込みます。GDPの成長率（名目）も1990年度に8・6％であったものが、1992年度には2・0％、1993年度にはマイナス0・1％まで落ち込み、大企業の売上高営業利益率も1990年度4・2％が1993年度には3・0％まで下落しました。吉本の言う10年後15年後ではなく、既に足元で社会システムがうまく行かなくなっていたのです。他方「新しいマルクス主義」は、はっきりとした姿を見せていませんが、いまやトマ・ピケティの『21世紀の資本』をはじめ、日本では斎藤幸平の『人新世の「資本論」』、白井聡の『武器としての「資本論」』など、反ネオリベラリズムの拠り所としてマルクスが取り上げられています。一方、政治の場、マスコミの場からは「革新」や「左翼」の言葉さえ消えて、かつて中道あるいは右派中道と目された文化人も左寄りだ、左翼だと言われる世の中になっています。

ここで大衆文化について日本より一足先の50年代、資本主義的発展のいわゆる「転換点」に到達した英国についての小関隆の著作『イギリス1960年代　ビートルズからサッチャーへ』（2021年　中公新書）から視点を借りたい、と思います。著者が同書で設定する問いは、「1970年代より以前、経済繁栄を背景として若者文化が咲き乱れ……伝統の足かせから社会が解放されていったかに見える1960年代にこそ、サッチャーイズムの歴史的な前提が形成されたのではないかと言うものです。それに対する仮説のひとつが、「大衆消費を基盤とする1960年代の文化革命（ｃｕｌｔｕｒａｌ ｒｅｖｏｌｕｔｉｏｎ）」（ビートルズに代表される）の経験がサッチャーイズムの描くポピュラーキャピタリズム（富裕でないものでも財産所有や株式保有の果実に与れるような資本主義）の夢に惹かれる個人主義的な国民を形成した」と言うものです。

著者の小関は、50年代の経済成長によって実現した「豊かな社会」が基盤となって「文化革命」が生まれ、さらにこの2つを支えたのが「大衆消費」であり「豊かな労働者」がその一翼を担ったとしています。そして「新しい水準の物質的快適さ」の中で、人々は「『自己』へのこだわり……『消費者』という自覚を強くもつようになった」「消費とは概して個人的な行為であり、自己充足や自己表現の思いが込められていた以上、消費の拡大が個人主義を強めることは避けがたかった」として、「豊かな社会」を経験した「消費者」としての個人主義がサッチャーイズムを受容する露払いの意味を持っていたのではないか、と述べた上で、「自由」というキーワードが80年代にはサッチャーとレーガンによって「イデオロギーとしてのレベルにまで引き上げられた」（イアン・マグドナルド）最たるものだ、と指摘しています。注③

以上、小関がイギリスのベビーブーマー世代に「豊かな社会」の大衆消費と個人主義をみたのに対して、日本の団塊世代に「経済主義」（拝金主義）と「私生活主義」（ミーイズム）を世代の特徴とみる寺島実郎は、「ポスト産業資本主義」をどのように分析するのでしょうか。

寺島は、『世界』に掲載中の「脳力のレッスン」においてエトス（倫理性・宗教性）、パトス（欲望・利潤）、ロゴス（近代合理主義・情報通信・処理技術）の3要素を内在させていた産業資本主義が、冷戦後、金融技術革命と情報技術革命によって、肥大化する「金融資本主義」とGAFAMに代表される「データ資本主義」に核分裂を起こし、「これまでの『資本・労働力・土地』の有形資産から『情報・データ』……の無形資産の持つ意味が重くなり『見えざる資本主義』の時代を加速させている」と論じ、「金融資本主義、データ資本主義と言う『無機的で顔の見えない』ものを、利潤追求のパトスだけが肥大化しないために、いかに制御するか」「経世済民、つまり国民の幸福を高める『健全な資本主義』のための新しいルール形成が求められる」としています。注④

なお、寺島は「資本主義に内在する構造的矛盾とでも言うべき『収奪』『搾取』の構造を撃つ」資本主義の原罪論、「人類が『環境破壊』と『気候変動』をもたらしたという視界を拓く」人新世の議論も、新しい時代のマルクスに資本主義の構造変革につながる構想を期待したいが、そうした次元の議論にはなっていないとしています。

以上の論考を念頭におきながら、私なりに日本の資本主義をざっと整理区分すると次のようでしょうか。

（1）戦後の復興から産業資本主義の成長まで

戦後アメリカの監視下において、産業の集

中による一国一軸型国土形成、傾斜生産方式や護送船団方式に象徴されるような官主導の復興政策によってスタートした資本主義は、ハイパーインフレやその対抗策としての緊縮政策などを経て、1950年に始まった朝鮮戦争による特需をきっかけに高度成長の軌道に乗り、60年代終わりまで三大都市圏への人口集中が続き60年代の、いわゆる所得倍増期間の10年間では、GDPは平均11・3%で伸びました。その結果、私たちは「豊かな社会」を実感することになります。例えば、1975年には、大学等の進学率の全国平均は10年前の15・1%に比べ28・6%になります。また1979年には、千世帯当たりのテレビの普及台数は1430台、2人以上の一般世帯では世帯当たり1・4台以上テレビをもつことになりました。[注⑤]しかし、産業資本主義の急激な伸長は、反面で公害という国と企業による犯罪によって多数の弱者に禍、不幸をもたらしました。四日市公害、水俣病、イタイイタイ病、新潟水俣病をはじめ公害を引き起こした企業に対する訴訟や摘発は、ようやく60年代後半になってからです。「ろくでもない近代化[注⑥]」が厳然としてあったこと、それが未だ償われていない、否、永遠に償われないものがあることは忘れてはならないことでしょう。

(2) 石油ショックと安定成長　70年代には人口の集中が沈静化し、第1次石油ショック後の景気収縮を経ながら、75年以降85年のプラザ合意まで成長を続けます。この時期アメリカの「レーガノミクス」による急速な経済拡大を受けた財政・国際収支の赤字の矛先が、主要な貿易相手国である日本に向けられます。アメリカによって仕掛けられた経済戦争は、1990年の日米構造問題の最終決着で一応の幕引きが図られますが、この間いわゆる前川レポートが出され、内需拡大のために430億円の財政支出（後に200億円上積み）を約束させられます。また、86年の第1次半導体交渉決着から1991年の第2次の半導体協定の締結まで譲歩を迫られます。前者は、中央と地方自治体の財政赤字を生み、後者は日本の半導体産業のその後の没落の引き金になったと言います。また当時のIBM産業スパイ事件、東芝機械ココム違反事件等それに対日経済措置発動など振り返ってみれば、現在の米中経済戦争の側面は、経済面でのヘゲモニー争いとしてこの日米経済戦争を範として開始されたと言えます。当時のアメリカで溢れた日本を悪者扱いにした論調や本についてロバート・ライシュがガーディアン紙のOPINION欄に発表した論考を参照すると、「ソ連が瓦解し始めたときに、アメリカの次の仇役は日本だった。日本車は、ビッグスリーの市場を奪い、三菱はロックフェラーセンター、ソニーはコロンビア映画、任天堂はシアトルマリナーズを買収した。1980年代後半から90年まで、日本の挑戦、米国の雇用への脅威についての議会のヒアリングが、数限りなく行われた。日本を悪者扱いする本で溢れかえったのだ」。ライシュが例に挙げるそれらの本の論調を並べると「アメリカの要人への利益供与は米国に対する政治的支配を達成するために企まれたものだ」「日本の挑戦に対して適切な対応をしなかったために、アメリカ人の生活の質が全ての点で落ちるだろう」「日本は我々の生活様式を脅かしナチスやソビエトからの危機と同じように究極的には我々の自由を脅かす」「日本はアメリカ企業の力を弱めるためにその市場にインチキを加えている」「日本の成長力はアメリカを『敵意に満ちた日本』の餌食にする危険に曝す」、それはさらに、『日本のパワーゲーム』『日本との来たるべき戦争』と続き、『ザイバツ・アメリカ　日本企業はいかに米国企業を植民化したか、静かな戦争、貿易戦争』という本まで出たそうです。注⑦

そのライシュの論考自体は、現在の米中の争いに関するもので過去の日本との経済摩擦を例にとって米国のより重大な危機は、中国ではなく米国がプロト・ファシズムに傾き、軍事費の膨張が教育・インフラ・基礎研究への投資を追いやることにある、と言う趣旨のものなのですが、多分、日本のマスコミが報じなかったか、私たちが忘れてしまっているのか、アメリカが自らの利益を損ね、ヘゲモニーに挑戦をうける事態が生じたときに、その反応が如何に攻撃的なものになるかを示すために、敢えて日本の部分を切り取って訳出しました。こうして国内で世論が煽られ、その煽られた世論を政治家、国家が利用し国内政治や外交軍事などの戦略の後押しに使う例は、全体主義、民主主義の政治体制にかかわりません。アメリカと日本の関係でみても第2次世界大戦、太平洋戦争前には両方の側で徹底して行われました。そのことをジョン・ダワーが『容赦なき戦争　太平洋戦争における人種差別』（平凡社ライブラリー2001年）で明らかにしています。現在の米中の争いには、そこに記録された人種差別的な面こそ少なくとも表面には出ないとしても、経済に軍事面でのへゲモニー争いが加わった世界的な覇権争いというべきでしょう。

（3）民営化と労働運動の弱体化、福祉国家からの転換

一方で、この時期を特徴付けるのが、国鉄、電電公社などの一連の民営化と労働組合・労働運動の弱体化です。年表をくると、1982年14年ぶりに交通ゼネストが「回避」され、83年には、日教組岡山大会に対する右翼妨害事件、89年への総評の解散に続いて行きます。そして、この時代に国民の間に「一億総中流意識」が生まれ、「労働者」が「消費者」の衣装に装いを取り替えて自ら労働運動の弱体化の列に加わったとも言えるでしょう。デヴィッド・ハーヴェイは、80年代のこの時期の日本について「国家の技術革新への投資と、企業・銀行間の緊密な関係が、輸出主導――主にアメリカ・イギリスを犠牲にして――による驚異的な経済成長を成し遂げた。世界貿易・世界市場における開放性がその輸出主導型サクセスストーリーを導いた、と言う狭義の意味以外には、日本が新自由主義を拠り所としたとは言えない」と述べています。しかし、上にみたような民営化、労働規制の緩和や労働組合の弱体化、米国から仕掛けられた経済戦争（南米やフィリピン、後のイラクでのような武力を伴った災事便乗型とは異なるが）、それに福祉国家から舵を切って「自助」「自己責任」を強調する政策への転換を考え合わせれば、日本

における新自由主義の侵略は80年代には始まっていたのです。その福祉国家からの転換について、大沢真理は、その著作『企業中心社会を超えて』のなかで、昭和61年版厚生白書は「戦後日本の社会政策史のうえで、西欧北欧の福祉先進諸国に追いつくことを目指した過程の到達点であり、そこからむしろ『過剰』をいましめ、日本の福祉国家に一つの『転換期』を告げることを主なねらいとした」と指摘し、そこでの社会福祉制度「再構築の基本原則」とは①「経済社会の活力の維持」②「自助・互助・公助の役割分担」③「社会的公平と公正の確保」④「公私の役割分担と制度の効率的運営」であり、①は「過剰な給付や過大なサービスは経済社会の活力をそぐ」とし、②は「『健全な社会』とは、個人の自立・自助が基本でそれを家庭、地域社会が支え、さらに公的部門が支援する『三重構造』の社会であると言う理念にもとづく」と解説しています。[注⑧] 新自由主義の綱領のひとつともいうべき福祉の縮小、緊縮政策と「自己責任」の強調が表明されています。「自助」「自己責任」はこの高度経済成長の終焉と人口の高齢化が現実になった時点から政治・社会の前面に出てきたのです。しかし近未来にベービーブーマー世代のリタイアが見込まれ足下では出生率の低下（1986年に1・73）が始まって、高度経済成長が終わり豊かな社会に翳りが出始めるときにこそ、新たな経済・社会福祉政策の構築が必要だったのですが、高度経済成長の「夢幻空華」から醒めきれないまま政府・産業界は、アメリカから迫られるがままに内需拡大に走ってはバブル景気を演出し、大消費社会の中で、経済が優先する「経済主義」「ミーイズム」が根をおろした大衆も、「ユーフォリズム」に酔って立ち止まって考えることはなかったのです。もちろんこの私も含めて。

(4) 成熟期から失われた時代へ プラザ後の円高不況からバブル期、そしてバブルが崩壊した90年から今日まで

世界で金融経済・デジタル経済が実物経済、産業資本主義にとってかわるなか、市場経済・グローバリズムを至上とする新自由主義経済〈資本の自由化、労働規制の緩和、社会福祉等公的支出の縮小、法人減税〉とリフレ経済の組み合わせによって、金融資本主義に巻き込まれ「見えざる富」或いは「石になった富」が法人企業・富裕層に集中する一方で、格差・貧困が階級を生み、社会を分断と混迷とに追い込んできました。「石になった富」は、水野和夫が2021年5月号『世界』の特集〈貧困と格差の緊急事態〉に寄せた論考「危機の中のパンデミック」[注⑨]において「ニクソンショック」がグローバル化を呼び寄せ、リアルエコノミーに対するシンボルエコノミーの優位、すなわち材・サービス市場に対して金融・資本市場が優位に立つグローバリゼーションの時代となった」として現在の個々の会社の内部留保金と個人金融資産が「石」となっているという指摘を借りています。ロシアのウクライナ侵略前までの状況をデフレと言うならば、企業と「満足せる多数者」が金融市場で余裕資金・相続資金を運用し循環させる傍ら、日銀のETF購入をはじめ所謂クジラとよばれる

年金機構、ゆうちょ銀行などが膨大な資金を投入し、株式市場が下落すれば介入を繰り返す官製相場によって、低金利下で富裕層、準富裕層の余裕資金は消費に向かわず株式運用に誘導される結果、それが「石」となって引き起こす負債デフレならぬ金融資産デフレとでも呼ぶべきではないでしょうか。それに加えて高齢化による需要不足、賃金の低下・消費税・社会保険料・教育費等の負担増による就業年齢層の購買力の低下、人口減少による家計消費支出の縮小が三つ巴、四つ巴になった結果だと言うのが、素人なりの考えです。

宮本憲一はその著作『環境経済学』「1970年代から米英日が共通して採用しつつある福祉国家からの離脱―新自由主義」について次のように整理しています。注⑩

・民営化（国公有企業の私企業化と国公有財産の民間への払い下げ）
・規制緩和（民間企業の経済活動、国土開発・都市計画・環境政策上の規制の緩和）
・社会サービスの削減、公共サービスの民間委託、税制改革による行財政改革
・新中央集権化

この章では次節以下、新自由主義が日本にグローバリズムの名で上陸する口火となった日米の経済摩擦と民営化についてみてみます。

注①：岩井克人『経済学の宇宙』（日経ビジネス文庫　２０２１年　第４章 p２３２〜２４９）
注②：吉本隆明『わが昭和史』（株式会社ビジネス社２０２０年１９９４年　文藝春秋１月号初出「わが『転向』」から）
Ｐ２５０〜２６１
注③：小関隆『イギリス１９６０年代　ビートルズからサッチャーへ』（２０２１年　中公新書）
Ｐ５、Ｐ２２８
注④：寺島実郎『世界』岩波書店　２０２２年１月号、Ｐ１３５
注⑤：下村治『日本は悪くない』（文春文庫２００９年　初出１９８７年）から当時の経済指標を拾ってみると、「ＧＮＰ11・３パーセントを根本のところで推進したのは、14・８パーセントにも登る設備投資だが……住宅投資15・１パーセント、在庫投資15・２パーセント、政府支出は９・７パーセント……個人消費９・０パーセント……」とあります。大学進学率とテレビの保有台数は、「国土レポート２０００」（国土庁計画調整局　２０２０年）から。
注⑥：石牟礼道子：２０１３年３月30日東京新聞インタビューから２０２２年６月４日再掲載。
注⑦：ロバート・ライシュ：The US's greatest danger isn't China. It's much closer to home」ガーディアン紙２０２１年６月21日
注⑧：大沢真理『企業中心社会を超えて』（岩波現代文庫　２０２０年）Ｐ１８５
注⑨：水野和夫『世界』２０２１年５月号「危機の中のパンデミック」
注⑩：宮本憲一『環境経済学』（１９８９年　岩波書店）Ｐ13

◉第2節　日米経済戦争

１９７９年にエズラ・ボーゲルの『ジャパン・アズ・ナンバーワン』が出版されベストセラーになりました。また、80年代は「日本の時代・黄金期」とも称されています。確かに１９８０年にＧＤＰ（名目、以下同じ）１兆ドル　世界に占めるシェアが10・０％だったものが、１９９０年には、３兆ドルを超えシェアも14・１％になります。（１９９５年には、５・５兆ドル、17・８％になります）。しかし、その後はＧＤＰ、世界シェアとも下がり２０２２年には、４・２兆ドル、４・２％です。また、社会は70年代の２度のオイルショックを乗り越え実現したと信じる「豊かな社会」「一億総中流社会」の高揚感に満たされ、80年代末には国内は土地、株式からゴルフ会員権、美術品に到るまでバブルの熱に浮かされ、海外ではソ連・東欧の共産主義国家の崩壊、資本主義陣営の勝利を目撃します。

しかし一方で、昭和の時代が終わり平成にかわった90年代以降の沈滞が準備されたのが、この80年代と言えます。その年代の日本の政治経済の出来事を次節に紹介する旧国鉄民営化を主題にした牧久の著書名（後述）にあやかって「昭和の解体」とするならば次のように整理できるかもしれません。

①外部からの昭和の解体：プラザ合意に始まる円高、日米間の貿易摩擦・経済戦争
②内部からの昭和の解体：旧国鉄の分割民営化、総評の解散・労働組合の弱体化、労働規制の緩和、税制改編（法人税減税・消費税）

前者①の日米経済戦争は次の年代に金融システムの解体から金融ビッグバンへ、また経済構造問題協議として後の郵政グループの民営化に、そして今日の防衛費増額まで引き継いでいきます。またこれらに付け加えるならば1982年の日教組岡山大会への右翼襲撃事件、1982年・87年の歴史教科書問題などの社会の反動的な動きが広がり、さらに振り返れば統一教会と保守政治家の癒着が進んだのもこの時期でしょうか。

プラザ合意、その後の90年代初めのバブルの崩壊後の円高によって、製造業の海外移転いわゆる空洞化が急速に進展していきます。しかし、その空洞化は日米の貿易摩擦・経済戦争として、米国が直面した貿易赤字と財政赤字、所謂双子の赤字の原因として貿易収支の黒字を計上していた日本を攻撃の的に定めた80年代に遡ります。

この米国の攻撃に対する日本の反応は、前川レポート及び多くのエコノミスト、学者にみられるように総じて日本の大幅な経常収支、貿易不均衡は好ましくない、というもので謂わば「日本が悪い」あるいは「日本が何とかしなくては」でした。これに対して下村治、小宮

隆太郎等の少数派は、米国の赤字は、レーガノミクスによる大幅な減税によるもので日本側の構造の問題ではなく責任は米国だというものでした。注① 昭和30年代半ばに、池田内閣で「所得倍増計画」を立案した下村が、その著書『日本は悪くない悪いのはアメリカだ』のなかで語っている論点は次の通りです。長くなりますが当の日米問題だけにとどまらず、今日の問題につながるものでもあり、できるだけ原文に忠実に抜粋引用します。

・レーガノミクスの狙いは、減税によって経済を活性化させ税収を伸ばし財政赤字を解消することにあった。確かに、成果は表れて米国のGNPは、81年から85年の5年間で1兆ドル増え、名目で30%増えた。しかし、財政赤字は膨張する一方で、国際収支の大赤字も抱える事態になり、その元凶が外部、日本にあるとした。

・確かに82年までの日本の黒字は、輸出突出型によるものだが83年以降の大幅な黒字、アメリカの大幅な赤字は、別に考えなければならない。そもそも世界経済は、それぞれの国が国民に対して出来るだけ良い生活水準を提供できるように、出来るだけ付加価値性の高い経済構造をつくり安定した運営をしていこうとする国民経済が集まって網の目をつくり構成している。その最も重要な位置にあり、世界一健全性の高いアメリカで、その故にドルが基軸通貨として成立したのである。そのアメリカが勝手気ままに借金生活をすれば世界経済は安定を失う。84年までは債権超過国だったが、85年以降債務が重なり、このままいくとやがて一兆ドルを超すであろう。

・アメリカ自身が問題を正確に認識していないことが日本にも混乱を与え、市場開放とか輸入増大にばかり目が行くから円が狙い撃ちされ産業界が円高に直撃されてしまった。これは日本人の性格の弱さ、迎合主義的なところがあるからだ。占領軍GHQがいた頃の後遺症が残っていて、今の日本人はアメリカ人に対して心理的に従属してしまう。ただし、日本の行動にも問題があって、それは特定の製品について国際競争力が強すぎるからだ。自動車を筆頭に電気、エレクトロニクス、しかし逆に言えば強いのはそれだけだ。注②

・それぞれの国には生きるために維持すべき最低の条件がある。日本の経済学者や政府までが自由貿易が至上の命題であるかのように思い、自由貿易を守れ等と騒いでいる。国民経済を無視した自由貿易は凶器になりうる。イギリスが自由貿易を武器にインドの紡績業を壊滅に追い込んで支配を完成し、さらに世界中の資本を支配し港湾施設を押さえて世界帝国を形成した。また、中国では中国茶の需要の急増とその支払いのための銀の流出から財政危機に陥った東インド会社が、そのバランスを埋めるために中国に阿片を輸出し、それを中国が禁じたことから時の清朝に戦争を挑み、以降イギリスは中国を半植民地化した。最近では、フリードマンの主張に同調したチリで、経済がメチャメチャになった。（以下筆者、因みにガーディアン紙のコラムニストであるジョージ・モンビオットは、ある試算ではイギリスが２００年にわたってインドから収奪した金額は、現在の価値で45兆ドルに上り、これを自国の工業化と、他の国家の植民地化に使い、次にそれらの国の富を収奪してきたという説を紹介しています。注③）

・アメリカは本気で財政収支均衡法をやる気がない。こういう経済状況の中でアメリカがまともな経済運営をできるはずがなく、それを背景にしている日本経済も確実にマイナス成長の局面を迎えることになる。

・貿易摩擦において、レーガン大統領が何かワッと言うと、中曽根はすぐピシッとして悪うございましたと言い外国製品を一人百ドルずつ買おう等という妙な提案をするのもGHQに従属していた頃の後遺症が残っているのである。日本側に国民経済という、一億二千万人が生きていくための基本的な問題、その生活をどうするか、よりよい就業の機会を与えるためにはどうすべきかの問題をとらえて見解・立場を固めるとともに、相手に対抗できるよう、防衛問題との関連など、（日本政府は）戦略的な構想をもつべきだ。注④

以上を考えるヒントにして80年代半ば以降のマクロの部分をまず検証します。下村の指摘の通り、アメリカが本気で財政収支均衡をやる気がないのは、その後も継続した減税、財政収支の赤字をみれば明らかで、借金経営を続ける一方、貿易収支も赤字が継続しています。1985年の貿易収支の赤字が1336億ドルだったのが2020年には9820億ドル、一方の財政赤字は600億ドルが1500億ドルになっています。（貿易収支はサービスを除く財、UNCTAD統計による、以下同じ）、年代ごとに双方の貿易収支を比べてみると、90年代は日本の貿易黒字は平均995億ドル、アメリカの貿易赤字は2204億ドルでしたが、2000年代に入ると、日本は696億ドル、アメリカは6964億ドルになります。下村も指摘していたように日本からの輸入が減っても、他の国が肩代わりするだけだったのです。さらにアメリカの対外債務残高は2018年33兆ドル、2019年38兆ドル、2020年には44兆ドルに膨らんでおり、また財務省の資料によれば、2018年におけるアメリカの対外純資産はマイナス1460兆円に対し、日本の対外純資産は同年末で357兆円のプラスです。

80年代半ばからの日米構造問題の本質は、下村はじめ少数派が指摘したように、日本ではなくアメリカの構造、経済運営にあったことは明らかですが、日本側から問題の本質に迫ることなく、GHQの後遺症を背負った迎合主義的な日本政府・日本人は「敗北を抱きしめて」

再びアメリカに屈したのです。しかし問題は、これまでみたように「健全性」を放棄した経済の運営が、米国でそして世界で主流を占めるに至ったことにあります。借金をして、下村の言う「マンション暮らし」を続け、借金は返さないやり方が世界を巻き込んでいったことにあります。

前記ではアメリカの減税のみを採り上げましたが、国際収支の赤字の背景には米国の金利の問題があることが、小宮によって指摘されており、それによればレーガノミクスの拡張経済政策（国債発行で減税と財政支出を賄う）によって、実質金利が急騰し大量の資本流入が起こり、資本収支の大幅な黒字が当然の帰結として、国際収支の赤字となった、双子の赤字は当時のアメリカが招いた当然の帰結であるというものです。注⑤ レーガン政権下FRB議長を務めたポール・ボルカーによってインフレに対処するために79年に引き上げられた金利が資本を呼び込み、北米への資本流入は77年の60億ドルから79年に140億ドルになったものが、レーガノミックス開始直後の84年には、さらに300億ドルに膨らんでいます。高金利を求めてウォール街に集まるマネーを運用するにはアメリカ国内だけでなく外部に運用先を求めていかざるを得ず、そのためにはモノ・サービスを対象とした自由貿易、そして資本の自由化を押しつけていく――ときに武力をつかってでも――ことになります。いみじくも下村がイギリスのインド侵略、中国の半植民地化、そしてチリを例に挙げ、自由貿易が凶器ともなり得ると述べているように、その資本自由化を武器とした攻撃が、新自由主義のイデオロギーの名の下で、南米をはじめとしてイラクその他各地で繰り広げられたことはナオミ・クラインが『ショック・ドクトリン』で明らかにしています。それは標的になった国の政治・経済・社会に及び、最も弱い人達に不条理となって襲いかかることでもあります。

自由貿易と資本の自由化の主役、最大の受益者は言うまでもなく多国籍企業です。下村は多国籍企業も国民経済の中に存在しているが、その国民経済が複数であるため見失われてしまうとし次のように述べています。「極端に言って、アメリカがうるさいからと言ってトヨタが国内の全工場をアメリカに移転したらどうなるか。トヨタはそれでも利益があがるだろうが、日本でトヨタに勤めていた人たちは路頭に迷う。これはどういう状況かというと、トヨタという企業が日本の国民経済から足を洗って、アメリカの国民経済に参入したこと、ということである。決して、日本の国民経済がアメリカに進出したのではない」と指摘します。トヨタのGMとの合弁は80年代前半、ケンタッキー工場は、1986年に開設されていますが、ここに述べられたことは、トヨタや他の自動車企業に限らず、後に見るようにバブル崩壊の90年代初め以降、日本の製造業のあらゆる分野で起こりました。企業はその生き残りのために「日本の国民経済から足を洗う」ことを選んだのです。その結果は足を洗った「企業」は儲かっても、日本で働く人たちにとっては他人事の現在の日本経済の構図が出来上がっていきます。

しかし、80年代の高度経済成長の余熱とともに「ジャパン・アズ・ナンバーワン」、「1億総中流社会」の高揚感に包まれていた私たちは、下村や小宮よりもアメリカに迎合する政治家・エコノミスト、マスコミに耳を傾けます。吉見俊哉がその著書『平成時代』（2019年岩波新書）で指摘しているように「日本は得意の絶頂……経済は好調で、その基盤も弱くない。内需も上昇しており、失業率は最低水準、学生の就職戦線も大変な売り手市場という一般の認識」が足元を見えなくさせていたのです。（それは先の吉本隆明のコメントからも想像できます。）吉見は同書で1989年の世界の企業の時価総額ランキング（「週刊ダイヤモンド」2018年8月号）を掲げていますが、1位がNTT、2位から5位までが興銀、住友、富士、第一勧銀と日本企業・銀行であり、上位50社中32社を日本の企業が占めています。それらの上に立って日本の産業、そして科学技術がトップクラスにあるという驕りのなかにいました。一部の産業分野での技術的優位と、様々な外部要因が重なっての成功が、私たちの脳みその中でハレーション効果を起こしていたのです。プラザ合意の後も日本の貿易収支は、大幅な黒字（86年820億ドル、87年800億ドル）が続き、増価したジャパンマネーは海外に投資先を求めていきます。資本の流出として、85年64億ドルであったものが86年には144億ドル87年201億ドル、89年には463億ドルまで膨らんでいきます。それが日本企業のアメリカにおける企業買収、不動産の購入に当てられ、さらなる日本の挑戦に対する警戒や憎悪を掻き立てたことは、前に述べた通りです。他方、アメリカは83年135億ドルであった資本流入が、実質金利上昇によって84年303億ドル、85年227億ドル、86年には390億ドルそして89年には750億ドルに達します（貿易赤字は、83年642億ドルだったものが、87年には1703億ドルまでふくらみます）。戦後の復興途上での米国の援助と監視、国際的な制度的枠組みの下で、欧米から日本へ波及したビートルズに代表されるような「文化革命」、「大衆消費社会」の実現、朝鮮特需やベトナム戦争などの地勢学的要因、そこに「人間らしく生きること」への親世代の希求と苦労が身を結び、高度経済成長から「豊かな社会」へ導いたのですが、それをすべて自らの勤勉性と優秀さが結実した成果と思い込み、かの寓話のように鏡を覗きこんでは「アズ・ナンバーワン」と独り言ちするようになってしまったのではないでしょうか。その「自愛」の性癖は一人当たりのGDPがG7の7ヶ国中最下位、OECD38ヶ国中25位になっても、コロナ禍でお粗末なマスクやイソジン、PPEの代わりのレインコートしか提供できない現状を目にしても覚醒しないどころか嫌中や嫌韓のあらぬ方向に向けられます。

下村は『日本は悪くない…』のなかで原因がアメリカにありながら問題の本質に迫らず迎合する学者・エコノミストに憤りつつも、自動車や電気機械など輸出産業が全体をみて自分を制御できないことに危惧を表明しています。太平洋戦争の真珠湾攻撃の参謀でありミッドウェイ海戦時に南雲艦隊の参謀長であった草鹿龍之介に戦後インタビューした半藤一利は、「（太平洋戦争の）敗因は驕慢の一語に尽きます。……すっかりなめていた。これが大敗をまねいたのです。」の言葉を聞きだしています（『戦争というもの』PHP研究所）。結局、日本は「驕慢」によってアメリカからの経済戦争を招き、さらには真の問題に目をそらしアメリカに「迎合」することによって2度目の敗戦を喫したのです。

また、それは他方でアメリカとの敗戦にとどまらず韓国、台湾、中国との競争に巻き込まれることになりましたが、これらの国は、アメリカの消費者の需要に応え日本製品に向かわせた日本の成功が教育と産業基盤への投資によることを見抜いて、日本に習うべく力を入れていたのです。ところがこの時期、日本は教育において逆コースを歩むことになります。それが日教組への攻撃、90年代の新しい歴史教科書問題、歴史修正主義の表面化と続き、国立大学の法人化、大学のガバナンスからの学者・教育者等ピアーズの排除、自治への攻撃、文系学部廃止の議論、学術会議委員任命拒否など、今日までの教育・学術への介入につながっていきます。そうした政府の介入に比例して80年代を境に学問や教育の総体的レベルは中国、韓国と比較しても地盤沈下していきます。『日本は悪くない…』のなかで下村自身も中曽根はじめ支配層、エコノミスト・経済学者の知的エリートの「迎合」「忖度」を批判しながら、日本人の考え方の弱さ、「迎合」が日教組による教育現場の荒廃から生まれてきたことにあると、突然、矛先を変えてしまいます。日教組が「アメリカが期待した以上に日本の伝統否定、伝統的な価値否定、日本人の自尊心の否定」を推進してきたとするのですが、その「日本の伝統」「伝統的な価値」「自尊心」が何であるかは明らかにしていません。日教組の肩をもつ訳ではありませんが、「伝統的な価値」という中味のはっきりしないものを持ち出すのは、些か片手落ちではありませんか、先頭をきってアメリカへの「迎合」を進めたのは、下村自身が痛罵しているように時の首相であり、あるいは日米両首脳の関係を「ロン・ヤス」で誤魔化し「大元帥」の称号をおくって恥じないマスコミではないですか、と思わず問い返したくなったりするのです。「日本の伝統」「伝統的な価値」「自尊心」が語られるとき、往々にしてその伝統や価値の中身は、明治維新以来の偏った底の浅い「伝統」「価値」であって、権力への野望を実現するために借りる虎の威です。「純粋な日本の伝統」や「絶対的な伝統的な価値」が意味するものは何なのでしょうか。例えば最近の考古学の成果によるゲノム解析で、「日本人」は、従来考えられていた縄文人・弥生人の二層構造ではなく古墳人を加えた三層構造もしくはそれ以上というニュースが話題になりました。また、コロナ禍では、ネアンデルタール人から引き継いだ遺伝子によって感染度が異なるとの研究発表が出され、その遺伝子をもつ人の割合が少ないために日本の感染が欧米に比べ低く済んでいるというニュースも初期の頃に流れました。同様に「日本の伝統」も「文化」も、その時代時代で異質なものが取り入れられ、それまでの古層が変化し次の時代に引き継がれる基層が形作られ、さらにその基層が……と連綿と引き継がれると同時に変化していくのではないでしょうか。その下村自身が言うように「国民経済という、一億二千万人が生きていくための基本的な問題、その生活をどうするか、よりよい就業の機会を与えるためにはどうすべきかの問題」を問わずに、「伝統」という言葉で独りよがりの「偏見」を振り回すのでは、「迎合」と「敗戦」を繰り返すだけでしょう。

文字や紙、儒仏の宗教・思想から寺社建築まで様々な文化・宗教を受容した先の隣国や中国への根拠のない「驕慢」でヘイトを煽ることは、その文化・宗教を独自に工夫してこの地に根付かせた幾多のこの国の先人たちの英知と、それこそ伝統を踏みにじることにもなるのではないでしょうか。ちなみに、広瀬隆の著作『日本近現代史入門、黒い人脈と金脈』（2016年集英社インターナショナル発行）のなかで、吉田松陰が1855年に獄中から「同士一致の意見」として、兄に送った書簡「獄是帳」が紹介されています。曰く「魯（ロシア）墨（アメリカ）講和一定、我より是を破り夷狄に失うべからず。ただ章程を厳にし、其の間を以て国力を養い、取り易き朝鮮満州支那を切り随え、交易にて魯墨に失う所は鮮満（朝鮮と満州）に償うべし」と。また丸山眞男は『超国家主義の論理と心理』のなかで「幕末以来列強の重圧を絶えず身近に感じていた日本」が征韓論や台湾派兵などの「西欧帝国主義のささやかな模倣を試みようとした」ところに、福沢諭吉が『文明論之概略』で述べた「西隣へ貸したる金を東隣へ催促せんとする」心理が流れていることを否定できないとしています。この「自由なる主体的意識が行動の制約を自らの良心のうちに持たず」、他からの抑圧を移譲して精神的均衡を保持する現象を、丸山は「近代日本が封建社会から受け継いだ最も大きな『遺産』の一つ」として福沢が「開闢の初より此国に行わるる人間交際の定則」たる権力の偏重という言葉で巧みに表現していると述べています。注⑥ この心理が、格差によって分断され逼塞する現代の社会のさまざまな局面、例えば職場でのハラスメント、子どもや高齢者への虐待、LGBTや少数者への攻撃など、また国際関係においても顔を出してはいないでしょうか。

さて本論に戻りますと、日米経済戦争は日本側が内需拡大に10年間で430兆円（後に村山内閣で200兆円を追加、630億円の規模になる）を公共事業に投資する「公共投資基本計画」の他、土地税制の見直し、大店法の規制緩和などの日本側のコミットメントで決着に向かいますが、沖縄をはじめ国内の基地や日米地位協定など75年以上前の敗戦の代償を抱えたうえに、さらにこの2度目の敗戦の代償を支払わされたのですが、これから先なにを国民が支払わされることになるのでしょうか。

下村の『日本は悪くはない…』から、30余年後の2018年に出版された『なぜ日本だけが成長できないのか』（角川新書）のプロローグにおいて、著者の森永卓郎は、日本の空洞化が3段階で進んだとします。その第1段階をプラザ合意以降に、日本企業が海外生産比率を上げていく海外移転、第2段階は１９９０年のバブル崩壊以降、日本企業の株式を外国資本が買いあさった外国資本による株式保有増、そして第3段階は日本企業そのものが叩き売られた不良債権処理だとして、それらは単独の現象ではなく大きなシナリオで結びついており、グローバル資本とそのお先棒を担いだ日本の構造改革派が30年かけて日本経済を転落させていったと指摘します。さらに「……『海外資本による投資環境』という名の日本企業の売却環境を整えさせる。私は、もうこの時点で、米国は日本経済の乗っ取り計画をきちんと整えていたのではないかと考えている」とも述べています。注⑦

その背後には、先述したボルカー以来の高金利政策によってアメリカに集まる資金の投資先をどこに求めるかが、グローバル資本、ウォール街の最大の関心事でありその標的に選ばれたのが日本であったということでしょうか。プラザ合意➡超円高➡日本企業の海外移転➡バブル崩壊➡外国資本による日本企業の株式保有増➡日本企業の叩き売り・外国資本による買収までが、大きなシナリオ、米国の国家戦略というのは、そのまま受け取りがたい気がしますが、例えば、デヴィッド・ハーヴェイの前掲書は、１９７０年代のアメリカが進めた資本市場の解放、自由化の世界戦略について次のように指摘しています。「米国は１９７０年代の石油ショック当時、産油国へ軍事介入することを準備していたことが英国情報機関のレポートによって明らかにされており、またサウジアラビアは、米国からの明らかな威嚇ではないにしても、恐らくは軍事的圧力の下でニューヨークの投資銀行、ウォール街に石油ショックで手に入れたオイルダラーを環流させることを合意したことも知られている」ことを述べた上で、その資金の投資先として、それまでアメリカの海外投資の主流であった資源開発や特定の市場に加えて、資金を必要としていた開発途上国への貸付けに焦点を置くようになったこと、そのためには国際的な資本市場の開放が必要であり、1970年代を通してその戦略を世界的に推し進めたとしています。この戦略は、ボルカーショックによる米ドル金利の急激な引き上げによって、当該の開発途上国に債務不履行の危機を発生させ、米投資銀行の深刻な損失を招来しかねなかったのですが、そこでとられたのが米財務省とIMFの両者が連携しタッグを組んで債務国である開発途上国に緊縮財政を柱とした新自由主義経済を押しつけ、その引き換えに債務のロールオーバーを与えたと言います。この処方は2001年にノーベル賞を受賞した経済学者であるジョセフ・スティグリッツがIMFからのケインズ派の影響力の〝パージ〟と呼ぶことになる1982年以降のスタンダードとして採用されていったと言うのです。注⑧ つまり、オイルダラーの米銀行への環流⬇資金が必要な開発途上国へ貸付⬇そのための資本市場の解放・自由化の促進⬇米財務省とIMF・世銀等国際機関との連携⬇債務危機に陥った開発途上国の債務の償還繰延と引き換えに新自由主義経済・緊縮財政を押しつけ⬇当該国の国営企業など基幹産業の外国資本による買収が、ワンセットのシナリオです。これから類推すれば、森永の言う日本経済の解体が、米国の世界戦略として構想されたもの、という理解も決して的外れではないことが分かります。日本の場合は、戦後の産業政策を率いてきた政府系金融機関と旧財閥系を始めとする銀行、メインバンクが、輸出によって外貨を稼ぎ出し「国富」を生み出してきた製造業を中心とした産業を支える一方で、旺盛な国民の貯蓄に対する意欲から環流される資金による金融システム産業構造が出来上がっており、ニューヨークの投資銀行の資金は必要ではなかった、と森永はいいます。ウォール街の投資銀行、海外資本が活動するには、そのための環境が整えられなければならなかったのです。その戦術は、①急激な円高によって輸出競争力を失う製造業の海外移転を促す。②その一方で過熱したバブル経済を抑制するための金利引き上げを政治的な圧力で遅らせる。③結果、コントロール不能になったバブルが崩壊する。④不動産市場の下落、バブル崩壊後の融資先企業の不振によって日本の金融機関に担保不足・不良債権が発生する。③国際機関と協働して時価会計等の国際標準を押し付け、資本不足に陥った金融機関の処分・整理統合をせまる。④こうして金融システムに風穴をあけ、外国資本が堂々と参入してくる。これが森永の言う「日本経済の乗っ取り計画」でデヴィッド・ハーヴェイの指摘に重なっていきます。

森永が指摘する前掲の日本特有の護送船団方式と金融システムについては、前掲のスティグリッツがシカゴ大学時代に数理経済学のセミナーで師事した宇沢弘文が『金融システムの経済学 社会的共通資本の視点から』[注⑨]のプロローグ「日本の金融崩落現象」で以下のように述べています。


「護送船団方式と呼ばれる大銀行のための金融行政は必然的に、日本の金融機関における金融的節度の欠如、社会的倫理観の喪失、職業的能力の低下をもたらすことになった。この症候群は、1986年から1990年にかけて、バブル生成たけなわのときにもっとも顕著なかたちとなって現われた」

「金融的節度と社会的倫理観を失った金融機関が、プラザ合意後の異常な金融政策をたくみに利用して、土地のバブル生成を通じて日本の経済・社会に与えた被害の大きさは、住専に投入された6850億円の公的資金、あるいは、銀行に最終的に投入されるであろう70兆円に上る公的資金の大きさの比ではない。社会のあり方の根元にかかわるものだからである」

「日本における金融危機について……1995年、ダイワ銀行ニューヨーク支店におけるる巨額損失事件……が明るみに出てから、日本の銀行と欧米の銀行との間に短期調達金利に大きな差が発生することになった。いわゆるジャパン・プレミアムである……日本銀行は、日本の銀行を救済するために、公定歩合を歴史的な超低利に抑え、現在にいたっているが、その間の国民的損失は、計りしれないものがある」

ここに宇沢が指摘している「金融的節度の欠如、社会的倫理観の喪失、職業的能力の低下」をもたらしたのも、先にみたように草鹿龍之介が半藤一利に語った「驕慢」でしょう。森永のいう戦後の産業政策を率いてきた政官と経済界がバブル期に癒着を起こしては破綻に至るまでの「驕慢」を生み出し倫理観を失わせていたのです。しかし、それを過去のこととして済ませられるでしょうか。

注①：下村治『日本は悪くない　悪いのはアメリカだ』（２００９年　文春文庫版　同書P20-21。）
注②：前掲著　P73-74。なお、吉見俊哉は「１９９０年代、半導体のグローバル競争で日本企業がアメリカと韓国、台湾の企業に次々と敗れて……２０１２年、電子立国日本の総崩れの様相」になったことを指摘しています。（「平成時代」岩波新書）
注③：ガーディアン紙２０２１年10月31日付〝Capitalism is killing the planet〟から。
注④：下村治　前掲著『日本は悪くない』　P２１０、P２１１。
注⑤：変動為替レート制の下では、金利が上昇すれば資金の流入を招き、資本収支の黒字化を生む一方、当該国の為替レートが他通貨に対して高くなるため、輸出を減らし輸入が増えることになり、貿易収支が赤字になるというもの。
注⑥：丸山眞男「超国家主義の論理と心理（一九四六年）」（２０１６年　岩波書店　リーディングス戦後日本の思想水脈　３『民主主義と市民社会』）P42
注⑦：森永卓郎『なぜ日本だけが成長できないのか』P15、P30等参照。
注⑧：デヴィッド・ハーヴェイ『A brief history of Neoliberalism』原著P27～29から。
注⑨：宇沢弘文・花崎正晴［編］日本政策投資銀行設備投資研究所『金融システムの経済学　社会的共通資本の視点から』P14～15から。

◉第３節　国鉄解体と中曽根康弘の野望

以上の日本経済の空洞化がアメリカによる外部からの日本経済の解体とすれば、民営化と労働組合・運動の弱体化、労働者派遣法などその後に続く雇用に関する規制緩和は、いわば内部からの日本経済の解体です。勿論ここでの「経済」の中心は、先に下村が指摘した「国民経済という、一億二千万人が生きていくための基本的な問題、その生活をどうするか、よりよい就業の機会を与えるためにはどうすべきかの問題」という意味での「経済」（経世済民）であって、「国民経済から足を洗った企業＝多国籍企業」の利益が指し示す経済のことではありません。

民営化された公社、特殊法人等は、80年代の専売公社、電電公社、国鉄にその後の郵政公社等がありますが、その後の日本の社会に与えた影響の大きさで最大の民営化が旧国鉄の分割民営化です。それは当の本人が後に証言しているように、元首相中曽根康弘による「国労、総評、社会党潰し」を狙った政治的事件でした。国鉄民営化30年を機に、元日経新聞の記者であり同社社会部長を経て副社長を務めた牧　久による『昭和解体　国鉄分割民営化30年目の真実』が出版されていますが、牧 はそのなかで中曽根の自著『天地有情』から次のように要約しています。「ダブル選挙の圧勝と国鉄の分割・民営化によって、国鉄労組が分解して、総評が分解した。自民党を中心とする保守が都市に自信を回復し、ウィングを左に伸ばして……国労が崩壊すれば総評も崩壊するということを、明確に意識してやったのです[注①]」

30年余を経た現在、経済・社会の逼塞状況のなかで、歴史を遡って国鉄の分割民営化と、その民営化を俎上に乗せたところの「行財政改革」の本質を追求してみることは重要なことだと考えます。それは今振り返ると、下村のいう国民経済の基本的な問題である雇用を後方に追いやる一方で、「政府の失敗」に封印し「公共の資産」を「民間活力＝資本」に払い下げ、

「労働運動」を排除するとともに「国民の利益を守る制度」を「規制緩和」に潜り込ませて弱体化し、資本の蓄積がより加速度的に進む経済に作りかえることでした。野心にみちたひとりの政治家あるいは彼の周りの政治家や政商だけで、「民営化」が実現したわけではありません。お先棒を担いだ臨調の委員、財界・企業経営者、学者、その政治的事件を華々しく煽ったマスコミの役割は大きかったと思います。また、そこには何よりそれを良しとし、或いは傍観した多数の私たちが居ました。「一億総中流社会」「消費社会」を構成していたのは、寺島が指摘するような「経済主義」（拝金主義）と「私生活主義」（ミーイズム）に生きるベビーブーマー世代を中心にした大衆だったのですが、その大衆は「豊かな社会」のなかで、自らの存在を「労働者」であるよりは「消費者」として認識したのです。

労働政策研究・研修機構（ＪＩＬＰＴ）所長の濱口桂一郎の「日本の賃金が上がらないのは『美徳の不幸』ゆえか？」とする論考（『世界』2023年1月号掲載）で、総評が解散した翌年の１９９０年に連合と日経連は連名で「内外価格差解消・物価引き下げに関する要望」を出し、規制や税金の撤廃緩和等により物価を引き下げることで「真の豊かさ」を実現すべきと訴え、政府・企業・労働組合・消費者が果たすべき役割の四本柱として、１・公的規制の緩和、２・市場原理の徹底・公正競争の促進、３・消費者重視の徹底、国民生活の質的向上に貢献する産業構造への転換、４・政府、企業、労働組合、消費者の連携・協力を、

「物価問題共同プロジェクト中間報告」に掲げていた、としています。濱口は続けて、当時の連合の発想について、同中間報告から「『労働組合は、職業人の顔とともに、消費者の顔をもつ』とか『企業に対しては、労使協議の場等を通じて、消費者の声を産業、企業に反映し、消費者の利益を重視する経営を目指すよう、促す』べきとか、挙句の果ては『労働組合自らが消費者意識を高め、消費者に対しては物価引き下げに必要な消費者意識や消費者世論の喚起に努めるべき』とまで言っていた」と述べています。さらに1993年の「内外価格差問題研究プロジェクト報告」が描いていたバラ色の未来像「物価引き下げ⬇実質所得向上⬇経済成長」について「その後の失われた30年のゼロ成長は、このもっともらしい経済学的論理回路が100%ウソであったことを立証している」と痛罵しています。注②労働組合自体が、公的規制の緩和や市場原理の徹底を是とし、自ら野暮ったい労働者の衣装を脱ぎ捨てて、見栄えのいい消費者の衣装をつけ「いい子ぶり」し、やがて消費社会に埋没していきます。その当時「モノが安くなるより、給与が上がった方がいいのにおかしいやないか」と独り言を言ったことを覚えていますが、私も結局は騒々しい喧伝に流されたひとりでした。それゆえ、いまこうした文章を記すこと自体、偽善的な行為ではないかという思いをもちます。「経済主義」や「ミーイズム」とは無縁と思いながらもヤッカイな労働者より耳に心地よい消費者を演じ、その網に捕われたのですから。

最近、防衛省がAI技術を使い交流サイト（SNS）で国内世論を誘導する工作の研究に着手したことが新聞に報じられました。インターネットの所謂「インフルエンサー」が、無意識のうちに防衛省に有利な情報を発信するよう仕向けるというものだそうですが、わざわざ高い研究費をかけなくともこの国のマスコミ、世論は以上をみれば容易に操作可能なようです。前川喜平がその世論操作をとりあげ「政権側はすでに静かに広範に国民を洗脳してきた。NHKをはじめとするメディアに介入し、学校の道徳教育や歴史・公民教育を支配し、Dappiなどというアカウントで SNSを掻きまわす。国民よ、国に騙されるな。正気を保とう。自分の頭で考えよう」と声を絞り上げるのももっともです。また田中優子は同じ日の東京新聞の「時代を読む、マインド・コントロール」の論考で日本人の選挙行動に関する調査分析に関する論文にふれながら、「マインド・コントロールの中で隷属してきたのは（旧統一教会）信者だけだったのだろうか？」と、一文を結んでいます。注③ 私たちの周りは無数の情報で溢れかえるばかりか、私たちもまた、好んで情報あるいは知識らしいものを得ようとします。中国南宋時代の禅書「無門関」にある瑞巌和尚という人物は、毎日、自分に「おい、主人公、ちゃんと目を覚ましているか」と呼びかけては「はい」と答え、また「だまされてはいかんぞ」と言っては「はい」と答えていたそうです。私たちも瑞巌和尚にならっては毎日立ち止まっては自分に「おい、主人公」「だまされるな」と呼びかけ「正気」を保つことをしなくてはならないようです。

さて、そうして人々が時代の流れのままに「隷属」し行われた民営化は、雇用・労働だけでなく、地方の経済とコミュニティを後退させ、国民経済を「超資本主義」「ポスト産業資本主義」で置きかえていきました。地方社会・地方経済の衰退は、もちろん公共企業体の民営化のみによって生じたのではありません。民営化前には60年代後半から70年代・80年代へ急速に進んだ「クルマ社会」の出現による「輸送・流通革命」があり、企業の国民経済から足を洗う「空洞化」があり、人口減少・高齢化と、その後の民営化と時期をあわすように起こった「情報技術革命」「金融技術革命」があり、これらが複合して地方に決定的なダメージを与えたのです。しかし、国鉄民営化はまさに政治が新自由主義経済と手を組んで、この国を蔽い尽していく象徴的な事件でした。

過日JR西日本がローカル線の合理化を進めていることが東京新聞の特報記事で取り上げられていましたが、これに対して読者から当該の記事には「民営化は正しかったのかという本質的な議論が不足しているのでは」という声が投書されていました。また時を置かずして新聞の投書欄には日本郵便のサービス低下に関連して郵政民営化の検証を求める投書も載りました。中曽根の「国労、総評、社会党潰し」が仕掛けた側の本丸としても、前述の読者が問いかけているのは「交通や通信など公共の福祉と安全安心に係わる事業に民営企業の採算性を求めたことに誤りはなかったのか」という設問です。また、郵政民営化の投書には、「事業を支える40万人のうち19万人が非正規雇用で、正社員との待遇差が歴然としている。……民営化後に全国で300以上の郵便局が廃止されている。」とも指摘しています。これらを念頭におきながら、「完全民営化」が国民経済にもたらしたもの、さらには新自由主義経済の正体を問うてみたいと思います。投書の2人とも、かつて民営化に大衆を動員したマスコミにその検証を迫っているのですが、マスコミにどこまでその気があるのか寡聞にして不明です。そこで私なりの総括を試みてみようと思います。濱口の先の論考が指摘した通り、当時の経済界・労働界がこぞって主張したバラ色の未来像「物価引き下げ⬇実質所得向上⬇経済成長」は100パーセント嘘であったことはその後のデータで立証されましたが、同じように民営化の実像もよく見ておくべきではないでしょうか。

国土交通省は、2017年に『国鉄分割民営化から30年を迎えて』（同省鉄道局）という文書を公開しています。遡っては民営化が実行された1987年に出版された鎌田慧の『全記録　国鉄処分』[注④]があり、前掲の牧の著作とこれらを手掛りに私の総括を始めてみることにします。

前掲の国土交通省の文書（以下文書という）は、「効率的で地域の実情に即した経営形態に改め、破綻に瀕していた国鉄の事業を再生して、鉄道がその特性を発揮できる分野において求められる役割を、将来にわたって果たしていくことを目指して行われたものである。」とし、「残るJR北海道、JR四国、JR貨物の民営化に向けた取組を進め……鉄道輸送サービスが引き続き、各地域において求められる役割を果たしていくことができるよう、必要な取組を進めてまいりたい」と結んでいますが、国鉄の民営化を総括する試みのまえにその破綻とその処理について押さえておきます。

文書によると国鉄は昭和39年（東海道新幹線開業・第一回東京オリンピックの年）に赤字に転落し、昭和55年度以降は国から補助金を受け入れた上で1兆円以上の赤字を計上し続け昭和61年度には長期債務は25・1兆円になり実質的に破綻していたとしています。しかし臨調の部会長で「国鉄解体すべし」を発表した加藤寛論文での指摘を鎌田慧が引用していますが、西独・仏や英国の諸外国に比べ収入に対する政府補助が低く諸外国が単年度の赤字を持ち越さない仕組みに対して、国鉄は独立採算で後年度に重い負担が残る「政治と行政の責任」があったことは銘記すべきです。最終的に長期債務と将来費用をあわせた37・1兆円の債務を本州3社、貨物会社および国鉄清算事業団で分け、3島会社については経営安定化基金が設定され民営化がスタートすることになるのですが、国鉄が有していた資産については再建管理委員会の答申で売却可能な用地は5・8兆円程度と推計された以外は明らかにされなかったようです。他方、雇用については、先の文書は「余剰員対策」として昭和40年度46・2万人いた職員が「昭和61年度27・7万人にまで縮小されていた。このうち20・1万人がJR各社に採用され、最終的に7・5万人が政府機関や民間企業に再就職した」と簡単に総括しているのみです。しかし鎌田の著書の後書きによれば、4万人の希望退職者と100人以上の自殺者をだしており、牧の著書にも余剰人員対策として設置された「人材活用センター」は国労の組合員から「国鉄アウシュビッツ」と呼ばれたことが引用されています。分割民営化によって、命を絶つまで追い詰められた、また命を絶たないまでも精神的・経済的苦痛を味わうことを余儀なくされた職員やその家族は、公の文書では一行の記録としても残されないのでしょうか。

『昭和解体 国鉄分割・民営化30年目の真実』の著者は、あとがきで「長年、栄華を誇った巨大組織が、内部に巣くった腐敗や権力闘争によって崩壊していく例は、歴史上そう珍しいことではない」とし、「国家という〝しがらみ〟から抜け出せず、一方で戦後の民主化政策によって生まれた巨大な労働組合組織を抱え、……多くの複雑な要素がからみあって、国鉄組織の解体を招いた」としています。さらに著者は「その過程は、歴史ドラマとしてもきわめて興味深く、『歴史』はまさに『物語』であった」と述べ、中曽根をはじめとする政治家たち、国鉄の経営陣、組合の領袖と、後にJR三本州旅客会社のトップに座ることになる改革3人組の『物語』として語られ展開されます。一方『全記録　国鉄処分』の鎌田の視線は、中央と表舞台から疎外され閉鎖や廃線に追い込まれる地方の修理工場や町、そこで働く国鉄職員から商店主、自民党の首長の声まで現場を拾ったルポルタージュです。

『全記録　国鉄処分』は、分割民営化の臨調答申が出される82年の初めから国鉄労働者に対する新聞雑誌の『ヤミ手当、ポカ休、ブラ勤』キャンペーンは、異常としかいいようのないものだったと言います。続いて、屋山太郎（当時：時事通信解説委員）の「全編これ国鉄労働者への悪罵をつくした」『国鉄労使〝国賊〟論』、加藤寛（当時：慶大教授、臨調第四部会長）の『国鉄解体すべし』の2つの論文がでたとしています。鎌田は国会における関連法案が通過する前から、「既成事実としてすすめられた分割・民営化の準備は、最高議決機関としての国会無視であり、それに抵抗しなかったジャーナリズムは、おそらく後世にその民主主義感覚の弱さを批判されることになろう」と記しています。また「昭和解体　国鉄分割・民営化30年目の真実」の帯には、「なぜいま政治家が暴走し、巨大企業の不正が連鎖し、メディアは忖度するのだろうか？……」とあります。

ひとりの政治家が抱いた首相への野心と周囲の政治家たち、それを取り巻く経済界・経営者と学者・メディア、それらの力を利用し利用され果ては明治維新の下級武士にも擬せられた「3人組の改革派」による歴史劇は、牧が記すように「国鉄を解体に追い込んだ〝親方日の丸意識〟の完全な払拭」の劇だったかもしれません。また総評解散・連合の発足、そして社会党の解体へと続くこの歴史的事件は、まさに昭和の解体、「豊かな社会」を高度経済成長によって達成したあとの戦後労働運動の一時代の終わり、時代の流れとして歴史の後景に閉じ込めることも可能です。しかし、「民営化」を下村が指摘したような「国民経済」の視点から、そして鎌田が指摘したジャーナリズム、メディアの民主主義感覚を、その後の事実から検証することは、今のこの国の有り様を考えると避けて通れないように思えます。先にみてきた国鉄解体のきっかけになった「後年度に残る重い負担」は、1200兆円の借金をかかえた今のこの国の姿に他なりません。時の世論を国鉄分割民営化に導いたのは組合叩きや土光臨調会長の〝メザシ礼賛〟から始って小泉劇場の郵政まで、大合唱で後押しをしてきたメディアであり、いままた防衛関連の問題等が最高議決機関としての国会を無視して既成事実としてすすめられ、それに抵抗しないジャーナリズムはその存在を問われています。改めて国鉄から郵政に至るまでの民営化がもたらした功罪を国民に示す責任があるはずです。それはまたジャーナリズムとしての矜持、鎌田の言う「民主主義感覚」を問い直し「報道の自由」や「表現の自由」を自ら確認する作業でもあると思います。世界第3位の軍事大国を肯んじ、報道の自由度はG7最下位、世界第71位に甘んじるのでなければ。

以下は、前掲の「文書」やJR各社が発表している資料（ファクトシート等、財務・輸送データ）からデータをもとに、国＝国民が承継することになった長期債務、完全民営化後のＪＲ本州３社、ＪＲ九州の上場社を対象とした経営指標を、１９８７年度からコロナ前の２０１９年度までの33年間を11年ごとに３期に分け比較検証していきます。ともすると民営化後のＪＲ上場社をみて民営化を評価するに留まり、国民の側からの評価が欠落してしまいがちです。また国民といっても民営化のメリットを受けた人や地域と、反対に不利益を被った人や地域との間で評価は分断されます。そのことを念頭におきながら総括を試みようと思います。

最初に次ページの図１で国（＝国民）が負担することになった長期債務について当初の計画から現在の残高までをみてみます。まず当初の計画では最終的な債務37・１兆円のうち国鉄清算事業団に25・５兆円が引きつがれ、さらにそのうちの13・８兆円が国民負担とされていましたが、土地や株式等の資産売却が計画通りに行かずに25・５兆円の債務は28・３兆円に膨らみ、結局１９９８年度末の最終清算で24兆円が国（＝国民）の負担として一般会計で処理されることとなりました。その24兆円がどうなったかというと、令和４年２月の国会報告によれば２０２０年度末の国債残高が15・９兆円であり、最終清算から２０２０年度末までに支払われた利子等は３兆８６２９億円と報告されています。国の借金が未だこれだけの残高が残っているのは、いわゆる「国債の60年償還ルール」によるものです。毎年の償還額は24億円の60分の１、約０・４億円ですからまだ40年近く払い続けることになります。なお、以上の一般会計での処理のほか、年金等の負担金等の支払、土地・株式の処分等は特例業務として現在、「独立行政法人鉄道建設・運輸施設等支援機構」に引き継がれており、国会報告されることになっていますが、前掲の令和4年報告によれば、承継した土地の処分は2018年度に完了しており、2020年度における年金等負担金の支払い722億円と報告されています。

では、この22年間のJRグループの経営はどうだったのでしょう。図2はJR本州3社について創設直後の1987年度末と1998年度末の最終清算時、それに2020年3月末の3社合計のバランスシート（単体）を簡略化したものです。

右側下の純資産をみていくと1988年3月末純資産は0・7兆円、それが2020年3月末には7・0兆円になっています。純資産では10倍（総

図1　旧国鉄長期債務と国民負担　　単位：兆円

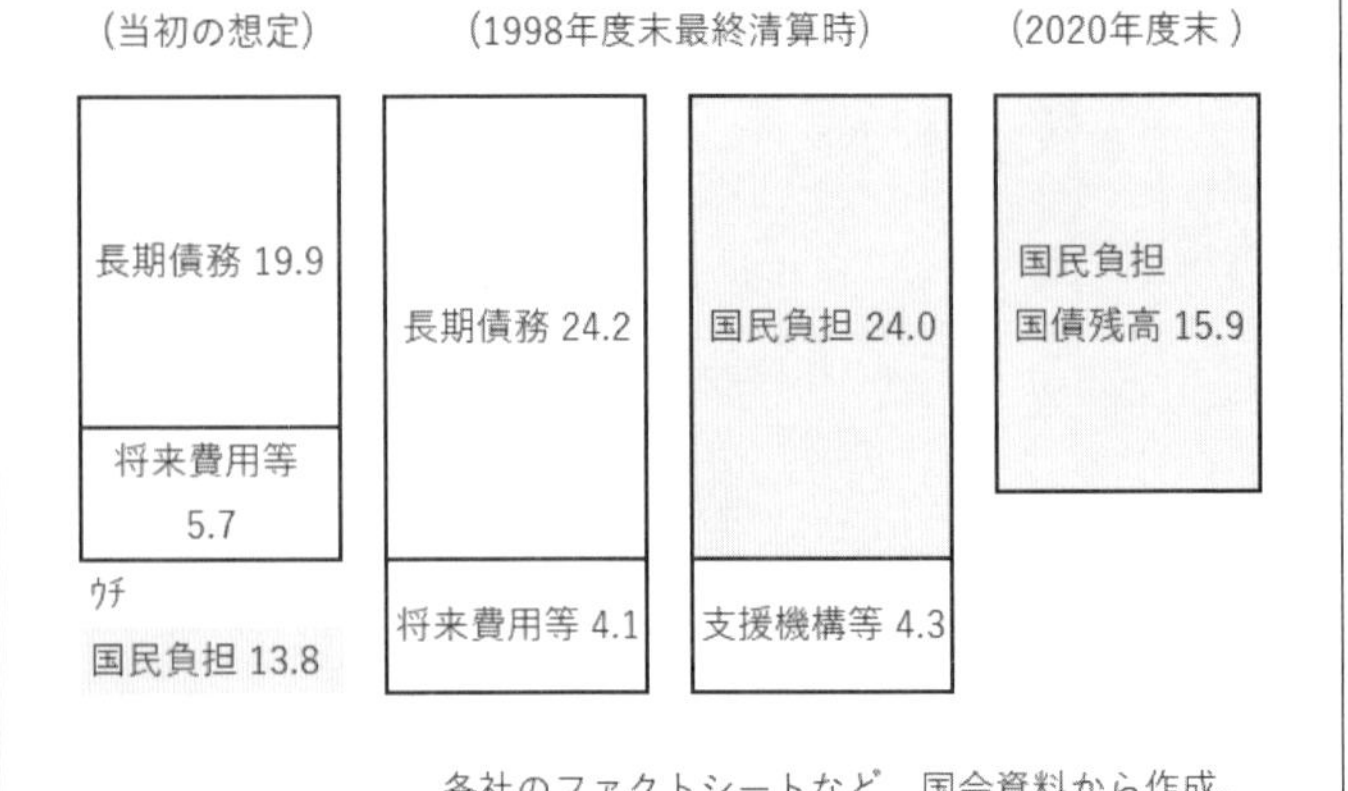

各社のファクトシートなど、国会資料から作成。

図2　JR本州3社単体合計のバランスシート、純資産の推移　　単位：兆円

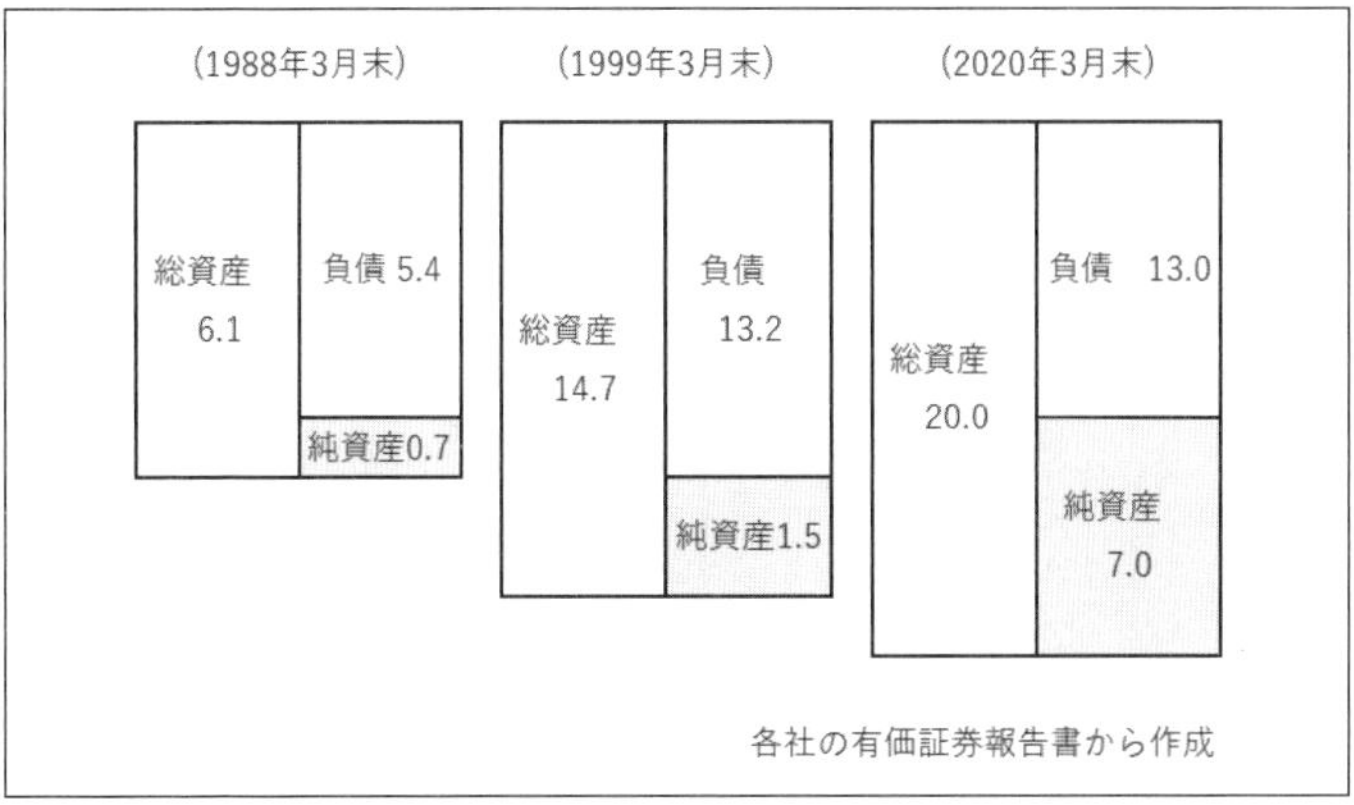

資産で3倍強）になっているのですから、メデタシメデタシ民営化に導いた人たちの功績、民営化後の経営陣は素晴らしい、となるわけです。と言ってもその純資産は、株式が売却されて完全民営化になった後は株主のものということになります。一方で前の図のとおり国民の負担は15兆円以上残っているのです。

先の「文書」はＪＲ本州３社について、発足後の経営状況が安定的に推移したことから、平成５年以降順次、平成18年度までに完全民営化したとしていますが、では何が安定的な経営状況、７兆円の資本蓄積をもたらしたのでしょう。

文書は分割民営化のあり方として、適切な経営管理や、地域の実情に即した運営ができるようにすることや旅客流動の地域内完結度を配慮して6社に分割、「民間企業と同様の経営の自由と自主性を有することとなるよう、会社の事業範囲を可能な限り広げる……国の

監督規制は必要最小限にとどめるとされ……経営基盤の確立等の諸条件が整い次第、できる限り早期に完全民営化することとされた」としています。また、余剰人対策では、昭和40年度には40・2万人もの職員を抱えていたものが、合理化により昭和61年度には27・7万人になり、このうち20・1万人がJR各社に移り、また分割民営化後も3年間、国鉄清算事業団によって余剰人員対策が継続され、最終的に7・5万人が再就職したとしています。また、JR九州の民営化について「これまでの様々な経営努力が実を結び、安定的な経営基盤が確立」と記述しています。以上を読むと、適切で自由・自主性を確保した経営管理、経営努力と過剰であった要員の合理化によって、安定的な経営が可能になり完全民営化が出来たことを示唆する反面、長期債務の国による肩代わりが経営にもたらした影響と引きついだ人的資源の重要性については触れられていません。「改革派」は「安定した経営は、労働組合、スト権ストの牙を抜いた政治・使用者側の勝利にある」とでも主張するのでしょうが、時刻表通りの正確な運行、運行ダイヤの作成や、何処でも誰でも受けられるサービスは、民営化以前に培われた現場の「人」と「ネットワーク、高い技術とノウハウ」などに集約される人的資本の産物です。これらのノウハウはハードの資産以上に国鉄という組織に蓄積された国民の資産、「富」であり、宇沢弘文のいう「社会的共通資本」にほかならなかったのですが、私たちが「国鉄＝国賊」論に封じこまれている間に事が進んでいきました。

文書で「旅客流動の地域内完結度」とむずかしい表現が使われていますが、人口が集中し大勢の旅客が行き来し利用する、経営効率の良い地域、市場を対象とするＪＲ本州各社が民営化の名で売りに出され、そうではない島2社は30年余を経てなお国民の負担で支えています。ひと頃「選択と集中」が流行語のように取り沙汰されましたが、国鉄の分割民営化は、全体の過疎が進み事業の黒字化が将来も危うい地域の路線は、それまでの借金とともに国・国民に押しつけて、利益を生むことが確実な「市場」を含む地域は民間に払下げして株式会社化し、資本＝株主で利益を分け合おうという仕組みです。それがこの民営化の本質です。その株式会社が7兆円の純資産を蓄積するまでになった背景を見ていきます。

以下ではＪＲ東日本のアニュアルレポートにならって11年ごとに、87年度からコロナ前の２０１９年度までの33年間について87～97年度をⅠ期、98～08年度をⅡ期、09～19年度をⅢ期として、3社の財務および輸送データを探って純資産7兆円を生み出した資本の蓄積の背景をみていくことにします。

初めに営業面、営業収益・営業利益（但し支払利息後）・営業利益率（営業利益を営業収益で除したもの）の各期間の合計をみてみます。営業収益はⅠ期から順に42・1兆円、43・4兆円、46・1兆円。営業利益（同右）はそれぞれ2・3兆円、4・1兆円、8・2兆円となっており営業収益で10％近くの増収、営業利益（同右）では3・6倍になっています。また営業利益率は順に5・7%、10・4%、21・6%です。

増収の大きな要因は80年代半ば以降に首都圏を主として近畿・中部の大都市圏への人口の移動によって各大都市近郊での旅客流動が高まったこと、および訪日外国人の増加でしょう。33年間で首都圏への転入超過数延べ合計は306万人に対し、北海道・四国・九州は延べ111万人の転出、訪日外客数は、1987年215万人に対しコロナ前の2019年は3188万人と15倍になっています。またJR東日本の東京発着の主要在来線は1987年と2019年の輸送人キロ数を比較すると39%増、その他在来線は30%減とあわせた全体でも32%増になっています。JR西日本でも同じように近畿圏の大都市近郊線は46%増、その他33%減、全体で16%増と、圏内での旅客流動が大都市周辺で高まった結果、全体としては在来線の輸送人キロが伸長しています。

次に支払利息を含めた営業費用を、①資本費、②人件費、③物件費に分けて比較してみます。すると①の資本費は、Ⅰ期から順に15・1兆円うち支払利息5・8兆円、Ⅱ期11・9兆円うち支払利息4・5兆円、Ⅲ期10・5兆円うち支払利息2・1兆円となっておりⅢ期とⅠ期の比較では、資本費が4・6兆円少なくなって3分の2になり、そのうち支払利息の減少が3社合計3・7兆円で金利の低下が費用の低減に大きく貢献しています。②と③は、それぞれⅠ期11・3兆円、12・2兆円、Ⅱ期12・0兆円、13・8兆円、Ⅲ期9・7兆円、16・0兆円になっており、人件費が1・7兆円減、動力費が3・8兆円増で、支払利息を含めた営業費用合計は創設直後のⅠ期に比べⅢ期では2・5兆円減となっています。ちなみに各期別の支払利息の利率を支払利息と長期債務残高から求めてみるとⅠ期5・8％、Ⅱ期4・5％、Ⅲ期2・6％になります。

この期間における金利の低下によって支払利息が大幅に減少したことが増収に加えて利益を押し上げる要因であったことが分かります。

最後に最終的な利益とその配分はどうなったでしょうか。3社のⅠ期からⅢ期までの税前当期利益の合計をすると、14・6兆円。その配分は、法人税等が5・8兆円、配当金と自社株の取得が各1・9兆円、0・4兆円、残りの6・6兆円が純資産の増加、つまり7兆円の純資産を形成したことになります。法人税等（法人所得税に法人住民税、事業税、これに法人税等調整を加味した法人税等の割合を表わす実際の正味実効税率はⅠ期の50％からⅡ期では43％、Ⅲ期では35％と、減税も純資産の増加、資本の蓄積に大きな要因になっています。この期間の「株主還元」（配当金・自己株式）と増加した純資産（株主が請求できる残余財産価値）合計を税前利益で除してみると、Ⅰ期が50％、Ⅲ期が65％、通期では60％になります。一方で労働分配率（人件費を営業費用と営業利益の合計で除したもの）は、ＪＲ東日本ではⅠ期30％がⅢ期では24％、ＪＲ東海15％から13％、ＪＲ西日本35％から26％になっています。金融緩和による金利低下、減税のメリットは、配当と会社の内部留保で株主と会社が総取りの図式です。

鉄道事業は装置産業であり資本集約型のため固定費の比率が大きく損益分岐点が高い傾向にあります。それが長期債務24兆円を国に肩代わりさせ、さらにその後の低金利によって資本費の負担が軽くなったことによって10％の増収で営業利益が3・6倍、営業利益率が3・8倍になったと言えます。また法人税の減税は、株主への配当に加え加速度的に資本の蓄積を促進し、3社合計での内部留保は2020年3月末で単体6・5兆円、連結7・5兆円まで膨らみました。しかし債務を引き受けた国民の側は財政状況から30余年を経たいまも15兆円の債務を抱えて、この先も元利の償還を続けることになります。また島2社への支援は、独立行政法人の鉄道・運輸支援機構を通して継続しています。他方で4分の1近くを外国法人等がしめる株主は、2兆円近くの配当を受け取っています。民営化以来、株の売買によってキャピタル・ゲインを得た法人、個人も多くいるでしょう。また首都圏はじめ大都市圏内の主要駅付近のインフラの再整備や再開発は、デベロッパー、不動産業や建設業、素材産業にとって大きな利益をもたらし、資本のはけ口として、これらの産業と限られた地域の「経済」に有効に機能したことでしょう。ＪＲ株の売買によってキャピタル・ゲインを得た投資家と同様に、再開発された駅ビルに入居したテナント、そこに集まる消費者もその「経済」の受益者です。しかし、駅の再開発は駅前の景色を変えるばかりでなく近くの街の景色も変え、資本の拡大は地理的な不均等を生み出していきます。例えば、駅のテナントに人が集まり、駅から遠くない商店街でもさびれて消滅してしまう例は珍しくないでしょう。地方はさらに深刻で、列車の本数・利用者の減少と「クルマ社会」の実現、大型店の進出の挟み撃ちから、かつて駅の周辺で発展してきた商店街、「まち」が消滅しました。こうして置き去りにされる側に生じる「不経済」は、どのように計算されるのでしょうか。

新聞記事が伝えるところでは、人口が減少して現在の路線が維持できないために現状の路線・利益を維持する前提で考えた場合、野村総研の試算で40年度には単純計算でＪＲ運賃を2～6割あげることが必要だそうです。ＪＲ3社のコロナ前２０１９年度の営業収入は４兆４５９８億円ですから、最低の2割とすると約1兆円、６割では3兆円に近い運賃の値上げが必要になるということです。株主は会社が現状以上の利益を出し株主に還元するように要求し、会社はその要求に応えるべく運賃の値上げか、路線の廃止を利用者に迫るでしょう。会社、株主が現状の利益・還元を固執する限り、そのコストはどのように負担されるとしても、利用者や地域住民、いずれにしろ国民の負担に変わりはありません。所要の収入を全体の路線の運賃値上げで賄うか、代替交通機関を自治体が民間に委託し必要経費を負担するかが考えられますが、その結果、利用者の間、利用者と住民の間あるいは自治体間で争いや分断が生じます。折しもコロナの影響を受けてJR各社とも2020年度本州3社計の税前当期利益1・2兆円、同2021年度0・4兆円の大きな赤字を計上していますが、配当は継続し3社合計で両年度とも900億円近くの社外流出を続けています。ちなみに整備新幹線には国からの補助金、800億円が注ぎこまれ、リニア新幹線にはJR東海に対して30年据え置き後10年均等返済、利率0・86%、3兆円が融資されています。劇的に人口が減少する30年後にJR東海が、旧国鉄と同じ轍を踏まないという保証はありません。また、それ以前に果して融資自体が公正と言えるのでしょうか。

国鉄解体は、中曽根本人が自ら語ったように野心に満ちた政治家の「労働組合・野党潰し」が行財政改革という看板の下で行われたものですが、それはまた政治家だけではなく経済界・官界を含めた権力・支配層による「富」、「社会的共通資本」の収奪でした。新自由主義経済というイデオロギーを別にすれば、明治期の官業・官有物払下げ、第2次大戦直後の旧軍人・政治家役人・右翼による軍需物資、国有財産の略奪と違いはありません。下村治は自由貿易に関連してフリードマンによってチリ経済がメチャメチャにされたと述べていましたが、自由貿易が海外の発展途上国に向けられるのに対し、民営化は「富」が自国民から収奪されるのです。ナオミ・クラインはその著作『ショック・ドクトリン』で次のように述べています。「過去35年間、サンティアゴからモスクワ、北京、そしてブッシュ政権のワシントンまで、世界各地でみられた企業上層部と右派政権の結託は、一種の逸脱行為——マフィア資本主義、大富豪（オリガルヒ）資本主義、そしてブッシュ政権下では『縁故資本主義（クローニーキャピタリズム）』——と片付けられてきた。だが、これらは例外的な逸脱行為ではなく、シカゴ学派による改革運動が、民営化、規制撤廃、組合潰しの三位一体政策によって導いてきた結果にほかならない」と。

ここにトウキョウの名前はありません。またマフィア資本主義、大富豪（オリガルヒ）資本主義も日本では無縁と思われるかもしれません。確かに、ＣＩＡの後押しによるピノチェットのクーデターのあったチリ、文化大革命から天安門までの中国、ソ連の崩壊のような政治的大事件、政変を経験しなかったこの国では、目に見えて「例外的な逸脱行為」はうまくベールに隠されてきたとも言えます。しかし三位一体政策は、日本を急速に右旋回させてきます。ロッキード事件で右翼の米側の代理人として登場した児玉誉士夫が親しかった政治家の一人が中曽根であったと言います。また民営化を先導した臨調の会長は、先の『昭和解体』でも「〝ミスター合理化〟の本領を発揮し、社員からは『女工哀史』ならぬ『東芝哀史』との声も出た」と書かれた前の経団連会長の土光敏夫でしたが、マスコミが報じたのは〝夕飯はメザシ〟の質実剛健の経営者というイメージでした。規制緩和によって権力の周辺に集まる者たちが権益を手にするクローニーキャピタリズム（縁故資本主義）は中曽根政権から小泉、安倍政権に引き継がれ、モリ・カケ・サクラの政治経済的事件から旧統一教会との癒着に到るまで「根腐れ」現象と登場人物は不足することはないようです。また、この国ではナオミ・クラインが掲げた三位一体政策以外にも教育・学問への政治介入が民営化と併行して進められましたがそれについては章を改めます。

注①：牧久『昭和解体』（２０１７年　講談社）「あとがき」Ｐ４９９および終章Ｐ４９６から
注②：濱口桂一郎「日本の賃金が上がらないのは「美徳の不幸」ゆえか？」（『世界』２０２３年1月号掲載）Ｐ92〜93から
注③：防衛省の世論工作研究については、東京新聞　２０２２年12月10日掲載の記事。前川喜平のコメントは同12月11日の「本音のコラム　国民を洗脳する国家」から。田中優子のコメントは同日の「時代を読む　マインド・コントロール」から。
注④：鎌田慧『全記録 国鉄処分』は１９８６年柘植書房発行。

◉第4節　郵政民営化と民営化の欺瞞

旧国鉄の解体、JRグループの発足から20年後の2007年に日本郵便が民営化されます。振り返ってみれば、当時の保守政党のなかで主流派に属していなかった二人の政治家の頂点への野望、中曽根の「社会党潰し、総評潰し」に対して小泉が売り物にした「自民党をぶっつぶす」、マスコミを使っての政治の劇場化など、郵政民営化は前者を模したとも言えるかもしれません。また旧国鉄解体JR民営化、総評社会党潰しが米国との経済戦争と共振する昭和解体のプロローグであったのに対して郵政民営化は日米経済戦争のあとのエピローグの一幕というべきかもしれません。

2005年の参議院特別委員会において、当時の郵政民営化担当の国務大臣であった竹中平蔵は大門実紀史の質問に対して郵政民営化準備室とアメリカの関係者との協議が18回あったことを認めるとともに、アメリカからの圧力（発言ではオープンな議論）について「1980年代に、前半から自動車問題を中心に日米摩擦というのがいろいろ激化して……いわゆる構造協議というものの議論が始まった……輸出や輸入をどうするかという問題ではなくて、国内の制度についてお互いに意見を言い合おうというような新しい関係の日米関係になっていった」と説明し「あくまでも我々は日本のために、国民の経済的公正のために制度設計をしていく」と発言しています。

日本郵便が下請け企業からの値上げの申し出を不当に拒否した不適切なケースが139郵便局、2支社であったことが中小企業庁からの発表によって明らかにされましたが、郵政民営化は、そうした地元の下請け企業をふくめ利用者、従業員に何をもたらし、「国民の経済的公正」の約束は果たして実現されたのでしょうか。

まず利用者についてはどうでしょう。先に述べた新聞への投書にもありましたが郵便事業では土曜日配達が廃止され、かつては翌日には配達されていたものが翌々日になり、ゆうちょ銀行では手数料導入・値上げが連続し、かんぽ生命は不正販売が行われるなど利用者にもたらされたのはサービスの低下でした。従業員についてはどうでしょうか。表4は郵政グループ会社について各社の有価証券報告書企業情報をもとに2023年3月末の従業員数と臨時雇用割合について、また2016年3月末からの増減・増減率を雇用形態別に示したものです。この7年間で正社員、臨時の雇用者とも減らし、日本郵便の臨時雇用割合は41%、その他の事業も16%以上を占めています。郵便事業には年末などの繁忙期とそうでない時期との業務量に差があり臨時雇用者数を柔軟に調整する必要があるとはいえ、郵便物の減少や宅配業者等との競争による小包などの取扱量の減少を受けて従業員を調整し費用を抑制しよ

表4　郵政グループ4社の従業員数・臨時雇用数・割合および増減

増減は2016年3月末から2023年3月までの増減数と率

		日本郵便	ほか3社	合計	増減率
2023年3月末	従業員数	193,285	33,068	226,353	-
	臨時雇用数	134,149	6,191	140,340	-
	同上割合	41%	16%	38%	-
2016/23年増減数	従業員数＊	-33,331	9,387	-23,944	-10%
	臨時雇用数	-25,288	-5,598	-30,886	-18%

各社有価証券報告書等から作成（郵政は単体、他は連結の従業員数）。

＊ほか3社の増は2023年度に日本郵便からかんぽ生命への従業員の出向による。

うと躍起になっている姿が下請け企業への不適切な対応とも重なって読み取れます。しかし、こうした従業員の削減がサービスの後退、モラール低下による不祥事を生み、引いては利用者を遠ざけて取扱量を減らす負の連鎖に陥らせてはいないでしょうか。

投書にあった正規社員と非正規社員の格差は橋本健二の『アンダークラス２０３０』をあてはめると正規社員の個人年収４７２万円（男性５６６万円、女性３２４万円）に対し、非正規社員は個人年収２０３万円（男性２３０万円、女性１７９万円）、比率は43％ということになります。また国税庁の民間給与実態調査等から運輸業郵便業の平均給与は４４５万円、有価証券報告書から日本郵政グループの３事業会社（日本郵便、ゆうちょ銀行、かんぽ生命）の平均は６３９万円、両者の比率は70％になっています。これらから類推しても大きな待遇の差が存在すると考えられます。資本集約的なＪＲの鉄道事業が資本費の低減によって利益を確保するのに対し、労働集約的な郵便事業は雇用の人件費を正社員から臨時雇用社員や外注に置きかえて、本来固定費である人件費を極力変動費化し柔軟に運用することによって利益を確保しようとします。雇用の規制緩和は労働力の商品化を進め、人々の「生活」に結びついた「雇用」が切り離されました。下村治が言った「国民経済という、一億二千万人が生きていくための基本的な問題、その生活をどうするか、よりよい就業の機会を与えるためにはどうすべきか」と言う問題意識は後回しどころか欠落してしまうのです。下請け企業を含めて従業員にもたらされたのは、生活の切り下げにほかなりません。郵政グループの中期計画「JPビジョン2025」では効率化施策・生産性向上に向けた取り組みとして、この先5年間で、日本郵便が3万人相当分、1600億円、ゆうちょ銀行が3000人分、550億円、かんぽ生命が1500人分、280億円、合計約3・5万人分の削減を「適切な要員配置と自然減などによって」進めるとしています。利用者のためのサービスでもない、まして従業員のためでもない効率化・生産性向上は何を目的としたものでしょうか。果たして「国民の経済的公正」のためになされたでしょうか。表5は日本郵政株式会社の2022年度の配当金と各社の役員の人数と報酬および各々の過去7期通算の総額を同社の有価証券報告書をもとに作成したものです。配当の額は「連結株主資本等変動計算書」から、役員報酬と対象人数は「コーポレートガバナンスの状況」から集計しています。

表5　郵政グループ4社の株主還元と役員報酬（2022年度および7期通算）

億円　　人

	配当金（上段） 自己株取得（下段）	役員報酬（上段） 対象役員数（下段）	同左 社外
2022年度	1,831	26.5	3.6
	2,054	133	39
7期合計	13,290	189	20.8
	6,518	938	265

配当金、自己株取得は各期の株主資本等変動計算書から。

役員報酬は各社の有価証券報告書記載の報酬および対象人数の合計。

配当金に自己株式の取得を含めた株主への還元は7期通算では約2兆円、税引き後当期純利益は2・7兆円ですから、純利益の72％が株主のために使われたことになります。ここから明らかなことは、先の中期計画の「効率化・生産性向上」とは利用者サービスと従業員の生活を犠牲にして現状の株主還元を維持するため以外の何ものでもないということです。

また役員の総数は4社合計で100人を超え、郵政の社外役員は2022年度で39名、4社平均で1社当たり8人以上になっています。週刊誌の記事「官僚天下る社外取締役　年10回の取締役出席で日給100万円」を紹介すると、経団連役員企業を中心に有価証券報告書などから調べた結果「財務、経産、外務、法務検察の有力OBがずらりと並んでいた」とし、「社外取締役の平均報酬は、1人当り年間約1000万円で原則月一度、年10回程度の取締役会出席での報酬から『日給』は100万円、しかも責任は他の役員よりも軽い」と指摘しています。（週刊ポスト、2014年3月28日号）

記事の指摘通り、月1回程度の取締役会等に出席して経営方針について発言する社外取締役の報酬は、まさにプロ野球選手なみであり、非正規社員が1年間働いて得る収入を、ほんの2日程度で稼ぎ出すのです。また複数の会社の社外役員を兼任し、ダブル、トリプルの収入を得ることもまれではありません。経済学者、エコノミスト、マスコミを動員して持ち込まれた金融の規制緩和、バブル崩壊の後導入されたのがコーポレートガバナンス、社外役員ですが、コーポレートガバナンスは後述するように法人である会社とオーナー企業を同一視した「自己契約」として「倒錯した企業統治」による株主資本主義の側面を、また社外役員は天下り官僚、大企業の役員、会計士等の専門職の「小遣い稼ぎ」として縁故資本主義の側面を露わにしたもので、新自由主義のもとでの資本主義の変質を象徴しています。

2005年当時の国会で大臣の竹中平蔵が言った「国民の経済的公正のため」とは政官財の支配層、力を持つ者が経済的利得を得ることが公正だというものであり、少額貯金や簡易保険を利用する庶民、勤労者としての従業員、地元の中小の業者を含めた国民は疎外され、搾取の対象にされています。次の言葉は柄谷行人が『力と交換様式』（岩波書店）に引用しているトーマス・モアの『ユートピア』の一節です。注①

「だから今日いたる所で繁栄をほしいままにしているあらゆる国家のことを深く考えるとき、神に誓ってもよいが、私はそこに、共和国のもとにただ自分たちの利益だけを追求しようとしている金持ちのある種の陰謀のほか、何ものも認めることはできない。金持ちはまず第一に、どうしたら自分たちが不正な手段でかき集めたものを安全に確保することができるか、次にどうしたら出来るだけ安い賃金で貧乏人の労力を自分たちの都合のよいように利用することができるか、ということを考え、そのためあらゆる手段と術策を見つけようと汲々としている。そしてそういうことの方策がみつかると、この金持ちたちは、国家のために、つまり一般大衆の幸福のためにといってこれらの方策が守られるように強制する。するとやがてそれが法律になっているのである。『ユートピア』（岩波文庫）」

岩井によれば1976年に出版された『企業の理論―経営者行動、エージェンシー費用、所有構造』という論文が経済学でもてはやされ「会社統治論」に「エージェンシー理論」が応用されるようになり「会社の株主と会社の経営者との関係を企業のオーナーと経営者との契約関係」と同一視することになったと述べています。ここでいう「会社」は法人としての会社、「企業」はオーナーが所有し自分が経営するかわりに経営者を雇ってその間で委任契約を結んで経営を委任する会社のことです。そこでは経営者もホモエコノミクス（経済人）として『自分の安全と利得』の最大化のみを目的に行動することが前提」とされ、経営者の行動を株主の利益に貢献するように誘導する早道は経営者も株主にしてしまうことだとしてストックオプション制度が登場したとも言います。注②そのエージェンシー理論、株主資本主義の浸透が表5の民営化した郵政の配当や自己株式取得の巨額の株主還元、さらに役員への業績連動型報酬などにあらわれています。

「あらゆる手段と術策」を見つけようと汲々とした先に「金持ち」が発見したのが、新自由主義と呼ばれる経済思想であり、「一般大衆の幸福のために」「国民の経済的公正のために」といって「民営化」と「会社統治」を生み出したのです。イギリスで「ユートピア」が出版された1516年を200年ほど遡ったこの国で、兼好法師は次のようにしるしています。

「夕べの陽に子孫を愛して、さかゆく末を見んまでの命をあらまし、ひたすら世を貪る心のみ深く、もののあはれも知らずなりゆくなん、あさましき」（『徒然草』第七段）今日にみる宇宙や深海への旅行を誇示し高級ヨットの舳先に恋人のフィギュアヘッド（船首像）を飾る超富裕層からこの国の世襲の政治家、天下りの社外役員まで「ひたすら世をむさぼる」あさましき人たちは洋の東西、時代を問わず存在するようです。

以下は2008年の世界金融危機のあとに民営化について出された参議院予算委員会調査室による「再考が求められ始めた政府保有株式の売却」にもとづいたものです。

・民営化に到った経緯は文書では「戦後特別の法律によって設立された特殊法人について、高度経済成長が終わり昭和50年度に赤字国債の発行等、経済財政状況が厳しさを増す中で株式会社化し政府の関与を排除することになった」としています。

・次いで売却収入の使途について「保有株の売却収入の使途は、①一般会計の財源（筆者注・本来の国債償還財源のみならず公共事業の財源にも用いられ財政の健全性の問題が指摘されたと言います。）②過去の債務処理（同・旧国鉄の長期債務が該当しますが既にみてきたように当初の債務は土地や株式の売却が進まず金利の支払によって債務は増加しました。）③国債の償還（同・JT株NTT株）④その他」を掲げています。

・また民営化による株式売却に関する課題として、外国法人等の割合が一時3割を超えていたJパワーについて「電力（同・電源開発）という国の重要なインフラを担う会社として適当であったのかについても改めて検討が求められよう」と述べ、「売却が財政に与える寄与は売却時の一回限りのもので、毎年度の配当金収入が入ることはない」「巨額の国債残高を抱えるなか売却益の財政再建への寄与に過大な期待を寄せることはできない」、「経済危機においてセーフティーネット機能を果たす政策金融が大きくクローズアップされたように公が果たす領域が消えたわけではない」とし、「本格的に財政再建に取り組む際には、税制の抜本改革等による手当が必須であり国民共通の財産である政府資産に関しては、これらの点も踏まえ、中長期的な視点から慎重に検討することが求められよう」と課題を述べて報告書を締めくくっています。

民営化の対象になった旧特殊法人が保有する「国民共通の資産」の売却は一過性で巨額の

表6　主要民営化企業の売却状況と政府・外国法人等保有株式シェア

兆円　　%

	売却総額	純資産 単体	政府シェア	外国法人等シェア
JR4社計	4.5	6.3	0	23.1
郵政グループ	15.9	14.7	33.3	19.2
NTT	2.0	5.0	34.9	22.1
JT	3.9	1.3	33.4	12.1
合計	26.4	27.3		

財務省データおよび各社有価証券報告書をもとに作成
純資産、保有株主シェアは2022年3月末。JR4社は各社シェアの単純平均

国債残高（レポートが書かれた時点の国債残高は600兆円）に比して財政再建の寄与に期待できないことや社会的インフラを担い、経済危機の際のセーフティーネットとしての機能を有する会社が外国ファンドの投資や投機の対象になることは分かっていたはずです。「国民共通の資産」「社会的インフラ」が（行財政改革という名目の下）「一過性の売却収入」と差し違えで株主に譲渡され、経済のセーフティーネットとしての機能を脅かすという表明は民営化の欺瞞と危うさを露わにしています。主要な民営化によって国庫に入った売却総額は、JRグループ4社、郵政、NTTとJTあわせて表6にあるように26兆円に過ぎませんでした。「行財政改革」が真っ赤な嘘だったことは現在の国債残高1200兆円から明らかです。

国鉄の完全民営化では人口集中・旅客流通度の高い「市場」を手に入れ創設されたJR本州3社は低金利と法人税減税の政策の後押しを受けその得られた利益は株主に還元され資本の蓄積が進みました。郵政民営化では利用者のサービスと労

働者の生活を犠牲に利益の株主還元と資本が蓄積されました。先行したＮＴＴはどうでしょうか。情報通信分野において「省力化・機能の集中・効率」を可能にする情報通信技術革命によって地域の雇用、経済は見捨てられました。例えばＮＴＴでは１９７９年に電話の自動化が完了し電話交換手が居なくなった後も日本各地に置かれていた電報電話局は民営化後１９８９年には支店・営業所と改称され20世紀末迄には中小市町村の営業所の統廃合が進みその後も県庁所在地、主要都市以外の支店・営業所は相次いで統廃合され中小の市町村から姿を消しました。こうして民営化された企業が得た利益は当然のように株主に還元される一方、雇用が失われた多くの地域で過疎化が進み外部不経済が膨らんでいきます。ＪＲグループが発足した１９８７年から２０１９年の33年間で北海道、東北、中国、山陰、四国、九州沖縄から転出した人口は２２４万人、反対に首都圏に転入した人口は３０６万人に上ります。そうした地方での国民生活が忘れられ、株式の４分の１近くは外国法人が保有し、民営化を通して外国の金融機関、法人が日本の経済に進出することになりました。その金融機関、投資家にとって民営化、政府保有株の放出は満足できる結果をもたらしたでしょう。２０１６年10月に政府保有株が売却されたＪＲ九州の有価証券報告書をみると売却から半年後の２０１７年末に外国の金融機関等が大株主に名を連ね、７社で全体の20・74％の株式を保有していましたが、翌年3月末にはリストは5社15・48％になっています。そのうちゴールドマンサックスは917万株から291万株へ、BNYメロンは645万株から301万株へ保有株数が減っています。前者であれば、その差626万株を当該期間中に売却したことになります。JR九州の初値は3100円、2017年10月から2018年3月までの月間最高値の6ヶ月平均は3570円でした。民営化は、これら金融機関、外国法人が多額の利益を創出する場でもありました。株だけではありません、JR東海、郵政にはアメリカ出身の非常勤、社外役員がボードに名をつらねています。

また寺島実郎は郵政民営化に触れて、国営企業的体制を持続しており国家による介入・規制が加速しているとして、経済界が「お仕着せ賃上げ」に論議を差し挟まず「従業員への給与引き上げにインセンティブをつける税制を喜んで税理士・会計士と向き合う時間を増やすことは資本主義の堕落である」と指弾しています。

民営化の後の郵政グループは海外事業での巨額損失、生命保険の違法販売とその処理に際しての監督省庁との不透明な関係、特定郵便局幹部への政治活動の講習、下請け企業いじめなど経営のモラルの低下はまるで底なしです。また利用者へのサービスの質をないがしろにする一方で、ゆうちょ銀行、かんぽ生命は「くじら」の2頭として投資家を支える「官製相場」の一角を担っています。NTTも総務大臣や同省幹部への違法接待、同省と東北新社幹部の会食への立ち会いや、トラブルが続出するマイナカード事業では利権のにおいが疑われるなど同種の話が絶えません。[注③] これら国家との癒着の構図は民営化が必然的に産み落とした新たな中央集権化、官僚支配です。旧国鉄解体で明治維新の下級武士に擬せられた「改革派3人組」は民営化後のJRで長期にわたって君臨し、明治の元老のごとく権力を維持します。なかでもJR東海の葛西敬之は民営化したJRを支配しただけではなく後述するように、文字通り「元老」としてこの国を安倍晋三の背後から支配していきます。

全国の国土にはりめぐらされた鉄道事業は言うまでもなく郵便事業もNTTの情報通信事業も、国民の誰もが公平にそのサービスを享受することが期待される重要なインフラ、「社会的共通資本」です。宇沢弘文は、「社会的共通資本」は大気・水・森林・河川・湖沼・海洋・沿岸湿地帯などの自然環境、道路・交通機関・上下水道・電力ガスなどの社会インフラ、教育・医療・金融・司法などの制度資本の3つのカテゴリーからなると言い、それは「ひとつの国ないし特定の地域に住む人々が、ゆたかな経済生活を営み、すぐれた文化を展開し、人間的に魅力ある社会を持続的、安定的に維持することを可能にするような社会的装置を意味」するとしています。また「社会的共通資本は、たとえ私有ないしは私的管理が認められているような希少資源から構成されていたとしても、社会全体の共通の財産として、社会的な基準に従って管理・運営される」べきもので、決して国家の統治機構の一部として官僚的に管理されたり、また利潤追求の対象として市場的な条件によって左右されたりしてはなら

ない」と述べます。注④

しかし現実の民営化はナオミ・クラインが叙述したように「世界各地でみられた企業上層部と右派政権の結託」による「民営化、規制撤廃、組合潰しの三位一体政策」そのものでした。民営化が組合潰し、規制緩和とともに破壊したのは、政官と経済界に残っていた自己抑制とモラルであり、国民経済でした。それに同調し服従したのは他ならぬ私たちだったのですが、これからもその同調と服従を続け国民共通の財産と次世代・次々世代の未来が収奪されるのを黙過するしか術はないのでしょうか。

注①：柄谷行人『力と交換様式』（2022年　岩波書店）P336
注②：岩井克人『経済学の宇宙』（2021年　日経ビジネス文庫）P440～441
注③：東京新聞2023年5月31日こちら特報部　NTT『独占』
注④：宇沢弘文『社会的共通資本』岩波新書　第1章から　P4～5

第4章

空洞化と規制緩和、富の移転

◉第1節　製造業の海外移転と雇用の解体

日米経済戦争の敗北からバブル崩壊とその後始末、さらに円高に揺さぶられた日本の企業は安価な人件費と急速に成長する中国、アジアを始めとする消費市場を求めて、グローバリゼーションに乗り遅れまいと海外へ進出します。それは下村治がいみじくも指摘したように日本の企業が国民経済を見捨てて進出先の国の経済に進出することであり、同時に自由貿易、資本の自由化は海外の多国籍企業が日本の経済に進出することでした。これらの背景に世界的な流れになった新自由主義経済という政治的経済思想の存在がありました。それを前章の民営化でみましたが、ここでは日本企業の海外移転による「空洞化」と「雇用の規制緩和」が日本国内の産業構造・雇用、そして産業資本主義で成功してきた日本のシステムをいかに変えたかを追究してみたいと思います。

グラフ2は総務省統計局の労働力調査・長期時系列のデータから農林業自営業者（家族従業員を含む）と非農林業の雇用形態別雇用者について1992年を起点に2017年の四半世紀でどんな変動があったかを示しています。手元の歴史年表では1992年は日米構造協議問題が両国の間で「決着」した1990年から2年後。その1990年はまた株価が暴落してバブルが崩壊した年で翌年には日米半導体交渉が終結し、また大手証券会社の巨額損失補填事件が発覚しています。そして１９９２年はＪＲグループが発足して5年後にあたります。

その25年間について雇用の変化を整理すると

・全体の労働力の総数は、１９９２年６６００万人から、２００２年６５００万人、２０１７年６６００万人とほぼ同じですが、自営業（家族従業員を含む）は農林業２００万人、非農林業は４００万人減少になっています。農林業の労働力数は１９５６年に１５００万人を超えていたのが、２０１７年にその10分の１を下回るまでに減少しています。また80年代前半までずっと増加していた非農林業の自営業者数は１９９２年に１０００万人を割り、２００２年までに約２００万人、そこから２０１７年までにさらに２００万人が減り、１９８０年代半ばのほぼ半分にまで減少しました。

・雇用者は１９９２年の正規雇用３８０６万人が２００２年３４５６万人、２０１７年は２００２年とほぼ同数、３５０万人の減少です。他方で非正規雇用者は１０５４万人から２００２年１６２８万人、２０１７年には２１３３万人と、25年間で１０４６万人近く増え、雇用者の38％（女性57％）を占めるまでになっています。

グラフ2　産業別形態別労働力分布　自営農林業・同非農林業・雇用者
自営業（含む家族従業員）、雇用者（役員・正規・非正規）

総数は'92年 66百万人、'02年 65百万人、'17年 66百万人　百万人

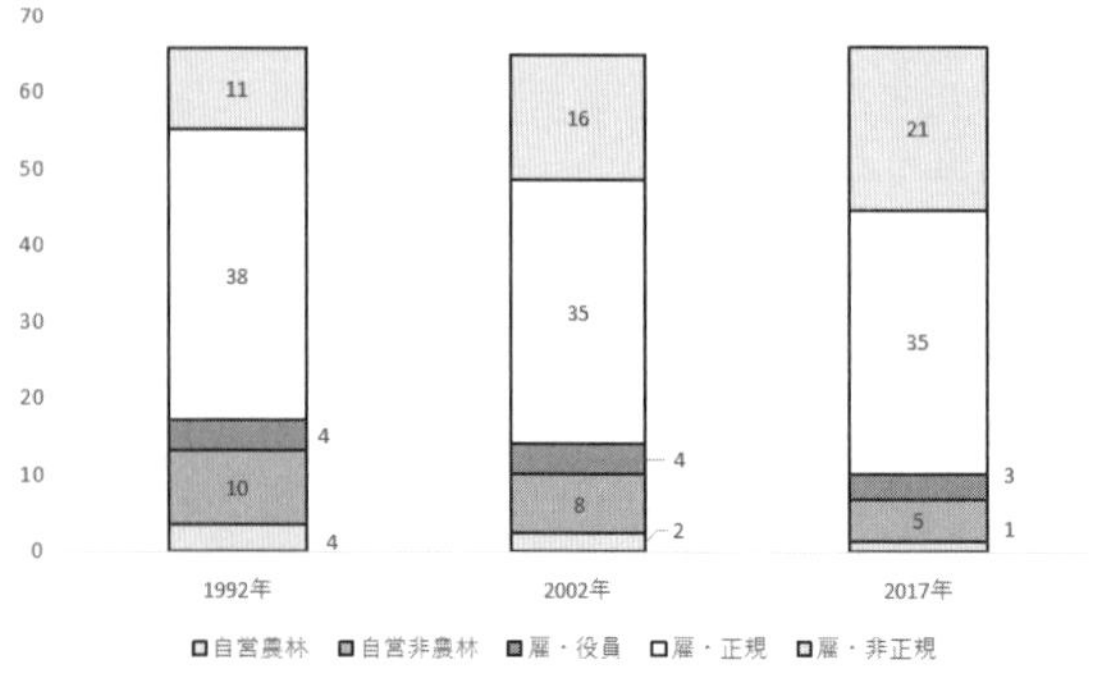

総務省労働力調査長期時系列 表4をもとに作成

ここに重なってみえてくるのは後述するように内橋克人が声を振り絞って痛罵せざるを得なかった「不均衡国家」へ変貌していく姿です。それは前章でみたＮＴＴからＪＲそして郵政につながる民営化、そして資本が地方をうちのめしていく姿であり、正規と非正規の分断と格差をつくりだして一億総中流社会が崩壊していく風景だったのです。

２０２０年３月５日付の東京新聞「こちら特報部」に元連合会長の高木剛へのインタビュー記事が掲載されました。その中で高木は「一番悔いが残る」こととして「１９８６年施行の労働者派遣法をゼンセン同盟執行委員長時に認めたことだ」と話しながら「規制はなくしていいでしょと。自由主義はいっけん通りがいいのよ」と語っています。また２０２３年２月27日付の同紙では、１９９５

年に日経連が出した報告書「新時代の日本的経営」をまとめた理事がインタビューに応じて「(経営者には) 人間が大事、従業員が大事だという感覚を思い出してほしい」と話していま す。その理事は、報告書がもともと正規の賃金を2～3割さげることを意図したがはっきり書けなかったとも話しています。当初同法で認められた13業種は、施行時には16業種、その後も対象業務が拡大され2004年には禁止されていた製造業への派遣も可能になりました。両者のコメントには、何をいまさらと思いますが、政府と財界、周辺の学者、エコノミストたちは「規制緩和」、「価値観の多様化」を擬装してマスコミを煽り中間搾取を禁じた労働基準法の規制をなし崩しにしました。これによって人材派遣業という虚業が誕生するかたわら、30余年を経て労働者の4割近くが非正規雇用に置き換わりました。

こうして規制緩和によって国内の雇用について「柔軟性」を確保する一方で製造業を中心とした企業の日本脱出による空洞化と国内では製造業から非製造業への雇用の移動が起こります。次のグラフ3は、この間の製造業・非製造業の国内従業員数と製造業における海外現地法人の従業員数の推移を監察したものです。

グラフ3のように1992年には1272万人の雇用を作り出していた国内の製造業は2002年には1043万人に229万人減らし、さらに2002年から2017年まで85万人の減、25年間で314万人を減らしています。一方で製造業の海外現地法人での雇用者数

グラフ3　製造業の国内・海外現法従業員数および非製造業国内従業員数
3時点(1992年、2002年、2017年)比較

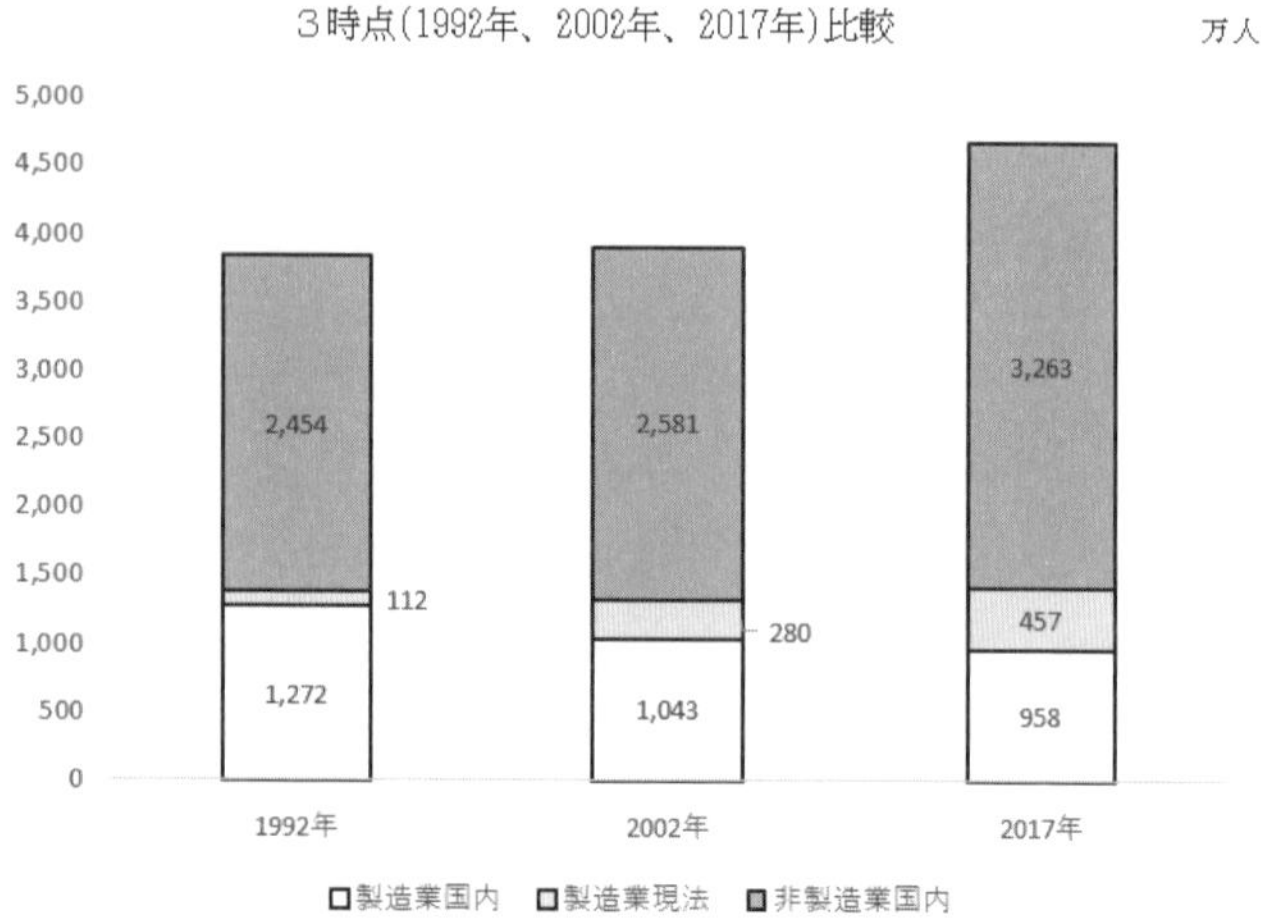

は、１９９２年から２００２年の期間１６９万人、２００２年から２０１７年の間で１７６万人、合計３４５万人増えています。国内の製造業の雇用の４分の１がそっくり海外に移ったことになります。非製造業はどうでしょうか。非製造業の雇用は２４５４万人であった１９９２年から２０１７年まで25年間で８０９万人増えました。

以上にみたように雇用形態と産業の分野に変動がおこり、１９９２年自営業者と正規の雇用者の合計から約２割、１０００万人が非正規の雇用者に転換され製造業から非製造業へ雇用が移動して産業構造が変わったことがわかります。企業にとって雇用形態の変動は人件費の削減であり、勤労者にとって非製造業への産業シフトと雇用形態の変化は賃金の

グラフ4　産業別平均給与と同非正規雇用者割合

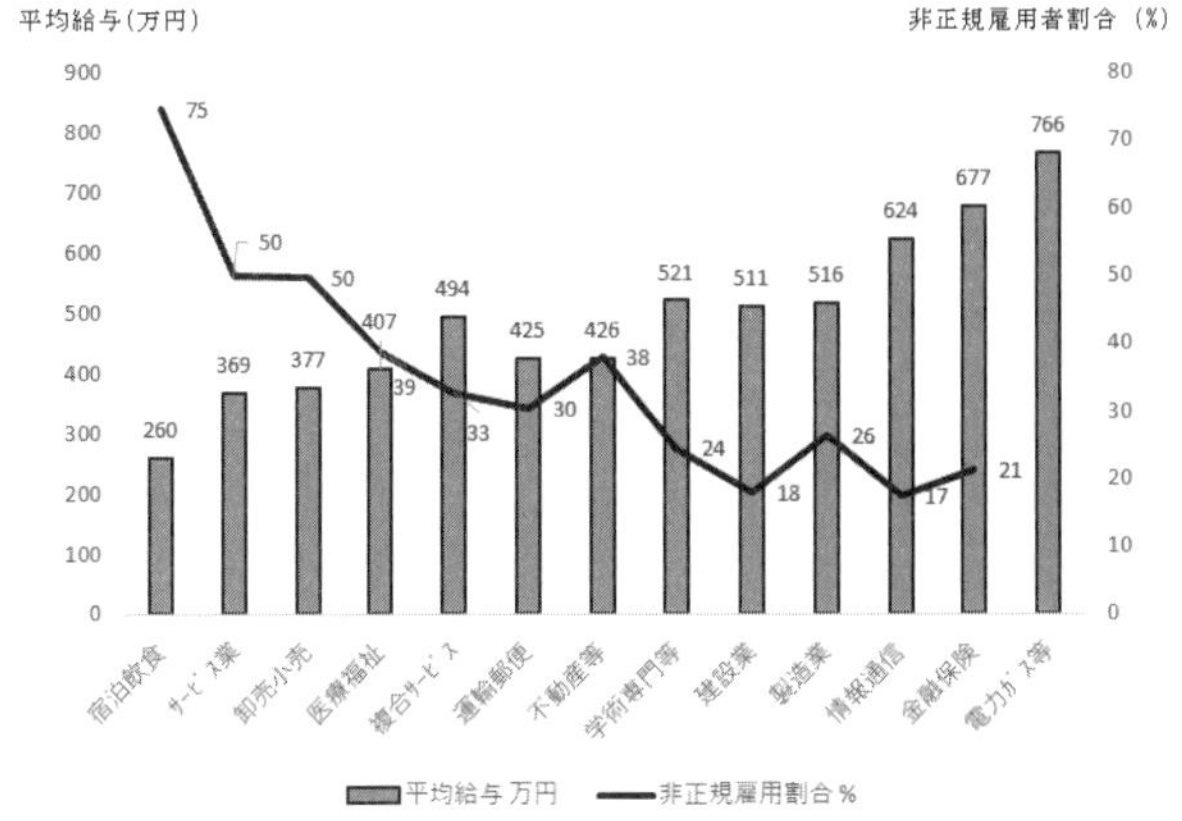

平均給与：国税庁民間給与実態統計調査 2021年分をもとに作成
非正規雇用割合：総務省統計局労働力調査（基本統計）2018年から作成

低下を意味しました。

給与所得者（１年以上勤務した人）の平均給与（年収）は、国税庁の民間給与実態統計調査によると１９９２年の４５５万円（過去、最も高かったのは１９９７年４６７万円）に対し２０１７年度は４３２万円と５％近く下がっています。また正社員と正社員以外の賃金格差は男女計で大企業が後者は前者の61・２％（男性63・５％・女性67・６％）になっています。（厚生労働省　令和３年賃金構造基本統計調査より）

では製造業についてどの産業分野で国内従業員数が減少したのでしょうか。法人企業統計調査をもとに１９９２年と２０１９年を比較してみると、繊維産業が１２０万人から32万人へ88万人、73％の減少。電機が２２５万人から134万人へ91万人、40％の減で、機械、金属でそれぞれ139万人、110万人から29万人 21％、20万人 18％の減少となっており、自動車と食品製造業が数少ない増加した業種ですが、自動車は123万人が127万人、食品が140万人から147万人とその増加は、これら産業の減少からみれば僅かです。反対に雇用が増えた非製造業ではどの部門がどれだけ増やしたのでしょうか。ここでは労働力調査基本統計から2002年と2019年の間の業種別の就業者の増減、非製造業部門のどのような分野で雇用がふえたかをみますと、コンビニや大型専門店などの小売や卸売、飲食業が増え、さらに介護などの医療福祉、情報通信技術の革新、携帯電話の普及にあわせた情報通信業、学習支援業などで増えています。製造業、電力ガスなどの公益事業、金融保険業も含めて非製造業の各業種の非正規雇用の割合とそれぞれの平均給与を比較したものがグラフ4です。このグラフからは、当然のように非正規雇用の割合が高い業種の平均給与は低くなっているのが分かります。

2002年から2019年の間に増えた非製造業における雇用者数とその増加者にしめる女性比率も加えて整理すると以下のようになります。医療福祉業、369万人増 女性比率74％、教育学習支援業、57万人増 81％、サービス業、81万人増 42％です。

このように雇用が増えた業種は、増加数に占める女性比率が高く、非正規雇用の比率が高い業種であり平均給与が400万円以下、業種別賃金で最も高い電力ガス業の50％程度かそれ以下です。これらの職業は、介護を担う医療福祉であれ、義務教育を担う教育、子どもを預かる保育であれ、ゴミや廃棄物の収集処理を請け負うサービス業であれ、社会生活に欠かせない職業であり、そのことをコロナ禍において私たちは「エッセンシャル・ワーカー」という言葉で改めて認識させられました。しかし職場での保健衛生・安全の確保を訴えるアメリカでのデモ参加者が「エクスペンダブル（使い捨て）・ワーカー」と呼んで抗議していたように、その社会的地位と収入は低くそれは世界共通のようです。「ケアする」価値とそれに対して与えられる評価が転倒しているのです。酒井隆史が紹介する『ブルシット・ジョブ』の著者デヴィッド・グレーバーは「その労働力が他者の助けとなり、他者に便益を提供するものであればあるほど、そしてつくりだされる社会的価値が高ければ高いほど、おそらくそれに与えられる報酬はより少なくなる」と定式化しているそうです。注①

また僧侶の南直哉は、エッセンシャル・ワーク「本質的」仕事について「身体性が高度に要求され、リモートワークができないか非常にしにくい職種」で「概して労働量やその強度に比して、相対的に賃金が低い……いわゆる『生産性が低い』とみなされている」と述べ、その反対の株式売買（例えばファンド・マネージャー）の例をひきながら「本質」と「非本質」、「要と不要、急と不急」の倒錯を指摘して、「『エッセンシャル・ワーク』という言葉が、暴走に近づいた資本主義市場経済がこのウイルス禍に端なくも露呈させた、自らの倒錯性と幻想性を象徴する」と言います。また南は日本の高度経済成長後にこの倒錯の加速度的な拡大を見て「同時に経済が我々の身体性を消去する意志を持つことを示す過程なのだ」と述べています。[注②]

社会インフラとして人々の生活に欠かせない重要な職種の多くは、資本・私の経済の「生産性」とか「効率」では測れない職種であり公的機関によって運営されてきました。しかし貪欲な新自由主義経済はその領域に資本のはけ口を見つけだし、その労働力の供給先になったのが民営化で衰退に拍車のかかった地方における労働力、製造業の海外移転で余剰となった労働力、能動的・受動的両面から経済活動を広げだした女性労働力です。また、その生産性や効率では測れない業種を私企業として成立させるためには、中間搾取を禁じた労働基準法の改正によって、その労働力を安いコストでかつ必要に応じて調達し、また調達の仲介をすることができるような規制の緩和が必須であり、さらに直接、個人に広告宣伝や情報を提供して誘導を可能にする情報通信媒体の技術革新がそれを後押ししたと言えます。

産業資本主義から切り離された余剰労働力が雇用の規制解体と情報通信の技術革命によって使いやすい労働力商品として公共のもとで行われるべき事業、「国富」が払い下げられてつくられた市場に投入されることによって、そこから生じる差異を資本が利潤として蓄積する構図がこの30年余りで出来上がったとでも言うのでしょうか。しかしそれが個別の業種や企業は別として総体としてこの国を現在の有り様に追い込んだことは明らかです。

日本の製造業の海外移転、経済の空洞化とともに民営化に始まる労働組合、労働運動の弱体化あるいは消滅による雇用の解体は、高度経済成長がとまった後も、公共サービスの縮小、民間委託を主導する新自由主義経済によって、南直哉の言う「倒錯性と幻想性」を広げ「格差」を生じさせました。内橋克人は「社会を成立させるさまざまなセクター間の格差」として日本を世界最大の「不均衡国家」と呼び、その不均衡について「中央都市と地方、働くものの正規雇用と非正規雇用の分断と格差、企業セクターと家計セクターの間の大きすぎる乖離などなど」と指弾しています。また内橋は『共生経済が始まる　人間復興の社会を求めて』の序を記した2011年から遡る2004年に前年の宮本憲一等とのシンポジウムをもとに出版された「経済危機と学問の危機」のなかで次のように述べます。「改革・規制緩和一辺倒の吹きすさんだこの10年、国民の不安は増し、経済面にも治安面でも、そしてひとびとの倫理観の欠如という側面からも社会的な認識は高まっている……社会もまた激しくすさんでいく」、「霞が関、永田町の空を渡る『天空回廊』の往来人に『明日の日本』は本当に見えているのであろうか」と投げかけています。しかしその問いかけは空しく答えられないまま「嘘」がまかり通る荒んだ時代にはいっていきます。注③

注①：酒井隆史『ブルシット・ジョブの謎 クソどうでもいい仕事はなぜ増えるか』（2021年 講談社現代新書）185頁。同著は続けてグレーバーが挙げた英国ニューエコノミクス財団の「社会的投資収益率分析」を引用していますので同書に引用された6例のうち4例を紹介しておきます。（但し、グレーバーはこの市場的価値と社会的価値の乖離に関する分析には方法の問題もあり深入りしていない、と著者は注釈しています。） 曰く、シティの銀行家 年収約500万ポンド。1ポンドを稼ぐごとに推定7ポンドの社会的価値を破壊。広告担当役員 年収約50万ポンド。給与1ポンドを受け取るごとに推定11・5ポンドの社会的価値を破壊。これに対し病院の清掃員 年収約1万3000ポンド。給与1ポンドを受け取るごとに推定10ポンドの社会的価値を産出。保育士 年収約1万1500ポンド。1ポンドを受け取るごとに推定7ポンドの社会的価値を産出～

注②：南直哉「遊戯の領域」（2021年 新潮新書『不要不急』所収から）P222～225

注③：岩波書店創業90周年記念シンポジウム「経済危機と学問の危機」宮本憲一、内橋克人、間宮陽介、吉川洋、大沢真理、神野直彦 198頁から。また「不均衡国家」は、内橋克人『共生経済が始まる 人間復興の社会を求めて』（朝日文庫2011年）序にかえてから。

◉第2節　日本型システムの崩壊

前節で製造業の海外移転、「空洞化」とサービス部門を中心に非製造業が雇用の中心に置き換わった産業構造の変化、雇用構造の変化をみました。一方、そうした変化をもたらすと同時に進行したのが、日本型経営システムの新自由主義経済による「グローバル化」であり、さらに「情報技術革命」「金融革命」でした。その時代の流れのなかで、日本の会社の「かたち」も変わりました。その一部は第2章で触れましたが、岩井克人は『会社はこれからどうなるのか』（平凡社　2003年）のなかで日本の会社の特殊性と普遍性について日本型資本主義の起源に遡って論じています。

岩井によれば、日本の多くの会社の特徴は次のようになります。注①

①会社の株主は会社の経営にほとんど口をさしはさむことがない。

②会社の経営者は従業員のなかから選ばれ、利益率よりは会社自体の拡大を目標とした経営を行う。

③従業員は終身雇用制、年功賃金制、会社別組合に守られ強い帰属意識をもつ。

④生産や流通、開発の現場において上下の命令指揮系統より情報を共有した従業員のインフォーマルな関係が重視される。

⑤多くの会社はいくつかのグループを形成し、株式を持ち合い水平的な系列関係を長期的に維持している。

⑥自社を頂点に、下請け、孫請けと広がる垂直的な系列関係を長期的に維持している。

⑦長期的な貸借関係を保っているメインバンクから、資金を調達している。

岩井は、「会社という制度は、アメリカの『株主主権』的な会社だけでなく、日本における『会社共同体』的な会社も、ドイツにおける『労資参加』的な会社も、さらにイタリアや韓国、さらに戦前の日本のような『家族支配』的な財閥システムも、すべて可能にしてしまう融通無碍な制度」であるとして、日本の会社がもつ普遍性を英米の「法人名目説」に立った会社とは異なる「法人実在説」に則した会社という立場から証明することを試みています。しかし90年代はじめのバブル崩壊以降、その後始末と円高、太平洋の向こう側から絶え間なく押し寄せ、流れ込んでくる時代の流れ、「グローバル化」「情報技術革命」「金融革命」によって、前述で岩井が挙げた日本の会社の特徴がことごとく非難と攻撃の的にされました。いま振り返ると、それは恰も中国の文化大革命のようでした。紅衛兵の代わりに学者、経済評論家、メディアが動員され、かれらが掲げたのは毛沢東語録の赤い手帳ではなく、その時に主流となった経済思想でした。日本政府へは太平洋の向こう側から年次改革要望書の形で出され、日本は諄々と服従していきます。しかもこの「公共から市場へ」の文化大革命は終わることなく継続します。年次改革要望書も廃止された後には形を変え「アーミテージレポート」として続いていきます。

その中で日本の会社の特徴はどのように変貌をとげたでしょうか。例えば①の点について、東芝の経営を巡る問題をとりあげた『世界』２０２１年11月号に掲載された上村達男の論考

「東芝調査報告書と企業社会の危機」は、2019年のフランス下院財政委員会調査団から下院に提出された報告書では「日本は米国に次ぐアクティビストの第一の『遊び場』となっている」と評されていると言い、「日本の企業が株主の属性を問わない外資のために働くことで、日本の富がどれほど流出しているか。証券市場と一体の株式会社制度の不備は格差社会の生みの親である。そのしわ寄せは日本国内の弱者に集中する」と述べていますが、このファンド勢の闘争をマスコミは「もの言う株主」という表現を用いるのみで、上村が指摘するとおり、その属性を問いません。注② ②の点はどうでしょうか。『世界』2022年4月号の宮本憲一・斎藤幸平の対談「人新世の環境学へ」のなかで、宮本は良識的で優れた経営者でも、株式会社である以上は8割ほどは株主配当や株価上昇を考えないといけないとしていることを指摘します。注③

③については相変わらず「終身雇用制、年功賃金制」は守れないという経済団体幹部の牽制の発言が伝わってきます。他方、労働組合については国鉄解体で見たとおり解体され、その後の組合運動は前に述べた「美徳の不幸」と濱口が呼んだとおりの有り様で、組織化率（推定）も1975年34・4％から1985年28・9％、2019年には16・9％になっています。④の従業員のインフォーマルな関係は、業績評価、能力主義の人事制度がはいりこむなかで崩壊し、⑤の持ち合い、⑥のケーレツもバブル崩壊後の混乱のなか、前者は外からの攻

撃と内の必要から、後者は競争原理の導入による下払いの費用引下げの号令のもとでケーレツとそれ以外を競わせ、解体の道を辿りました。持ち合い株の放出は、外国資本の格好の買いになり、外国法人の株式保有比率が90年に4・7％だったものが95年に10・5％、2021年には30・4％になっています。⑦のメインバンクも、前に紹介した森永卓郎の「日本経済の乗っ取り計画」の最終段階にあたる金融機関の整理統合によって消失しました。つまり、日本型資本主義をささえていた経済システム・社会システムが、ことごとく否定され、代わりに新自由主義の英米システムが移植されたのです。

岩井は、そうして否定され置換されることになった日本型資本主義、法人の原型をさぐり、それを中国や韓国、ヨーロッパの制度とも異なる日本の「家」制度に求めます。日本の「家」制度は、血縁がすべての中国や朝鮮と全く異なり、江戸時代には商家や武家も養子をとることに抵抗がなく、基本的には「家名」がつながればよいものだったことを指摘しています。また三井財閥の「大元方[注④]（おおもとかた）」を例にとって、「大元方に蓄積された資産の実際の所有者は三井家の人間ではなく、三井の『家』そのものだといえる」とし、江戸時代の商家のあり方と戦後の会社グループのあり方との間に共通性があり、日本の場合はたんなるヒトの集合ではなく、それぞれ「家」や「会社」として、あたかもそれ自体がヒトとしての主体性をもっているかのように存在する法人実在説的な存在であったと論じます。また日本的雇用システムである「終身雇用制」「年功序列型賃金」についても江戸時代の商家に原型――丁稚・手代・番頭・別家、暖簾分け――を求めます。

他方、会社別組合については、第2次大戦後アメリカの占領軍は、日本企業の雇用の近代化を図るため、アメリカ型の産業別組合を育成しようとしたにもかかわらず、政治的な理由で、そしてより根源的には「終身雇用制と年功序列制のもとで組織特殊的な人的資産を蓄積している従業員は同じ会社のほかの従業員とのほうが、はるかに利害が一致している」ことから、「アメリカ主導の経済民主化が、結果的には、日本的としかいいようのないシステムを生み出した」と同著のなかで述べています。注⑤

ところで戦後最初の全国的な労働組合となったのが、戦後日本の旧植民地に残された民間人500万人以上の祖国への引き揚げ作業を進めた海員によって1945年10月に「結成された「全日本海員組合」です。1965年から71年まで日本郵船の社長を務めた有吉義弥の著書、『占領下の日本海運―終戦から講和発効までの海運側面史』（1961年国際海運新聞社）が、このあたりの事情を回顧しています。注⑥

「終戦前後の、ある時期の一つの断面だけをとってみると、日本人は民主主義のイロハも知らない……気負ってきた総司令部（GHQ）の若手たちが、こういう先入観で、ひとつこの幼稚な民族を啓蒙せねば、と張り切ったとしても、全く無理のないところであった。ところが日本人は、長い歴史の中で、幾多の興亡を経てきている。……ごく近くでも大正の後半には民主主義の澎湃たる大波に大きく動揺したこともあったのだし、大正末期の大学生の大半は、余程の出世主義者のガリガリ以外は、悉くいわゆる『赤』だった時代もあった。軍国主義の圧力と戦時の必然性で、特殊の形をとっていた当時の労資の関係を前提に、単純なアメリカ式イデオロギーで功を焦った気味がみられた。丁度日本の気負い立った青年将校が、満州が自分達の『王道楽土』を呼号して、未熟なイデオロギーを振り回したが、先方には三千年の厚い思想の複雑性があった、というのと全く相似であった」「日本では船員が上から下まで全部船主の常備に対し、英米の船主は大部分の船員を共通の『ハイヤリング・ホール』から採用し、一航海単位で雇い入れる方式で、その『ハイヤリング・ホール』は海員組合と大きな関係をもつもので、そこからその制度を日本でも、というのがアメリカの考えのようであった」のに対し、戦後最初の全国的な労働組合であった「全日本海員組合」が反対したことが綴られています。戦時に民間所有の全船舶と船員が「徴用」され、その全船舶が政府から戦時体制の下で結成された船舶運営会に貸し下げられて、その船舶運営会が全輸送物資を運航して輸送することにされたのですが、戦争によって多くの船と船員の命が奪われました。敗戦によって海外に取り残された民間の在外邦人の帰還にあたることになった大部分の船員が船舶運営会に属していたことからアメリカ側から「ハイヤリング・ホール」の話がでたようです。しかしその後、船員が船主に復帰した後も全日本海員組合は日本で唯一の産別組合として残ります。広瀬隆は右の有吉の著作を紹介した『日本近現代史入門』（集英社文庫２０２０年）において「日本復興の第一歩となった苦難の日本人帰還作業」を再現しています。以下がその引用です。注⑦

「１９４０年10月に船員徴用令が公布され、強制的に国家に徴用された船員の延べ人数は10万人、敗戦までに１万５千５１８隻の民間船舶が撃沈され、戦没した船員は15歳の少年から60歳まで６万３３１人を数えた。在外邦人の数は６６０万人に達していたが、日本政府は『在外邦人は現地において共存』、一般人の切り捨てを具体化するという許しがたい行為におよんだ。民度の最も低い集団が日本の政治家と官僚・軍隊であった。しかし船員たちは違っていた。帰還船を出すには大量の機雷があったため危険だったが、この海員の姿に大きく心を動かされたのは腐りきった日本政府ではなくアメリカの軍人たちで、１９４５年末に大量のアメリカ船舶の貸与命令がだされたのである。

そうした苦難の在留邦人の帰還作業に従事した海員が戦後最初の「全日本海員組合」を創設し……戦後の日本経済を大きく引っ張る民主的な企業運営の流れを生みだした……戦後の労働者にとって賃金確保の基礎が築かれたのは、この労働組合運動がスタートしたおかげであった。」

さて、そうした日本の風土のなかで培われてきた会社のシステムは、世界が産業資本主義からポスト資本主義へ地殻変動をおこしていくなかで、グローバリゼーションという名で太平洋の向こう側から襲ってきた新自由主義の衝撃を受けて大きく揺さぶられ新たな日本型システムを設計し構築できないままに、その大きな衝撃と圧力は人に家計にそして社会に振り向けられました。

注①　岩井克人『会社はこれからどうなるのか』（平凡社　2003年）P113〜114
注②　上村達男「東芝調査報告書と企業社会の危機」（『世界』2021年11月号）
注③　宮本憲一・斎藤幸平の対談「人新世の環境学へ」（『世界』2022年4月号）P155
注④　岩井克人　前掲著　P179〜180　岩井によれば「大元方」とは三井財閥の頂点に位置する三井十一家の機関で、三井各家の企業活動にかんするすべての投資はそこから出資され、利潤もその大元方に繰り入れられて、配当もすべて大元方から支払われたと言います。
注⑤　岩井克人　前掲著　P200から201
注⑥　有吉義弥『占領下の日本海運―終戦から講和発効までの海運側面史』（1961年国際海運新聞社）P165〜170から
注⑦　広瀬隆『日本近現代史入門』（集英社文庫　2020年）P401〜413から

◉第3節　家計から企業へ　所得の移転

民営化後ＪＲ本州３社が順調に利益をあげて株主への配当、多額の資本の蓄積ができた背景に低金利と法人税減税がありました。もちろん海外に生産の拠点を移した企業、一般の企業もその低金利と法人税減税の恩恵を享受しましたが、一方で低金利は預金者の「得べかりし所得」を消失させました。内橋克人は前掲著で、福井元日銀総裁の国会における答弁から、90年代初頭のバブル崩壊時から06年までの間の「得べかりし所得」が３３１兆円にのぼっていることを指摘しています。さらに内橋はこの３３１兆円が「どこへ移転されたか。金融機関とその先の企業ですが、もっと先にアメリカがあり……」と記しています。注①

その企業を法人企業統計調査から金融・保険業を除く全業種についてみると、１９９０年度と２０２０年度までの期間に蓄積した内部留保として蓄積した総額は３５７兆円、このうち資本金10億円以上の法人企業が約半分の１８２兆円です。また、この期間の配当金は累計で３４６兆円にのぼり２５２兆円が資本金10億円以上の法人企業によるものです。内部留保の増加分と配当金合計の両者をあわせると７０３兆円、大企業では４３４兆円になります。

またコロナ禍によって経済的に追い詰められる人が多くいた中でも企業は利益を配当の継続

と資本の蓄積に振り分けています。２０２０年度から２０２２年度の3年間の配当金の合計は、全規模で89兆円、資本金10億円以上の企業で67兆円、内部留保はそれぞれ80兆円、43兆円を蓄積しています。内部留保、配当の他に自己株式の取得・消却がありますから株主への還元は右にあげた以上の額になります。これまでみてきた海外移転と国内の雇用規制緩和による人件費のフレキシビリティによる費用の抑制に加えて低金利と減税が後押しをし、利益は企業と株主の口座に振りかえられました。因みに、法人税等を税前当期利益で除した割合、正味の税率をみると、全規模では１９９０年度が54％に対し２０２０年度は31％、これが資本金１０億円以上の大企業では、51％が22％になっています。２０２２年度ではそれぞれ24％、17％です。また、借入金利率は、全規模で１９９０年度6・6％、２０２０年度１・１％になっています。

これら金融保険業を除く全産業・全規模について、売上高と営業・税前・税引き後の各段階での利益の推移をみると２０００年代半ばまでは税引き前利益が営業利益を下回っていたのが、２０１３年度以降で逆転しています。会社の一会計期間の成績をあらわす損益計算書上では利益には、営業粗利益、営業利益があって次にその営業利益から受取配当金等の営業外収益、借入金の支払利息等営業外費用を差し引きした経常利益があり、企業は活動に必要な工場や機器などの設備投資にあてるため金融機関から資金を調達し利息を支払うことから、

グラフ5　1990年度を基準(=100)にした各段階での利益と借入金利子率の推移

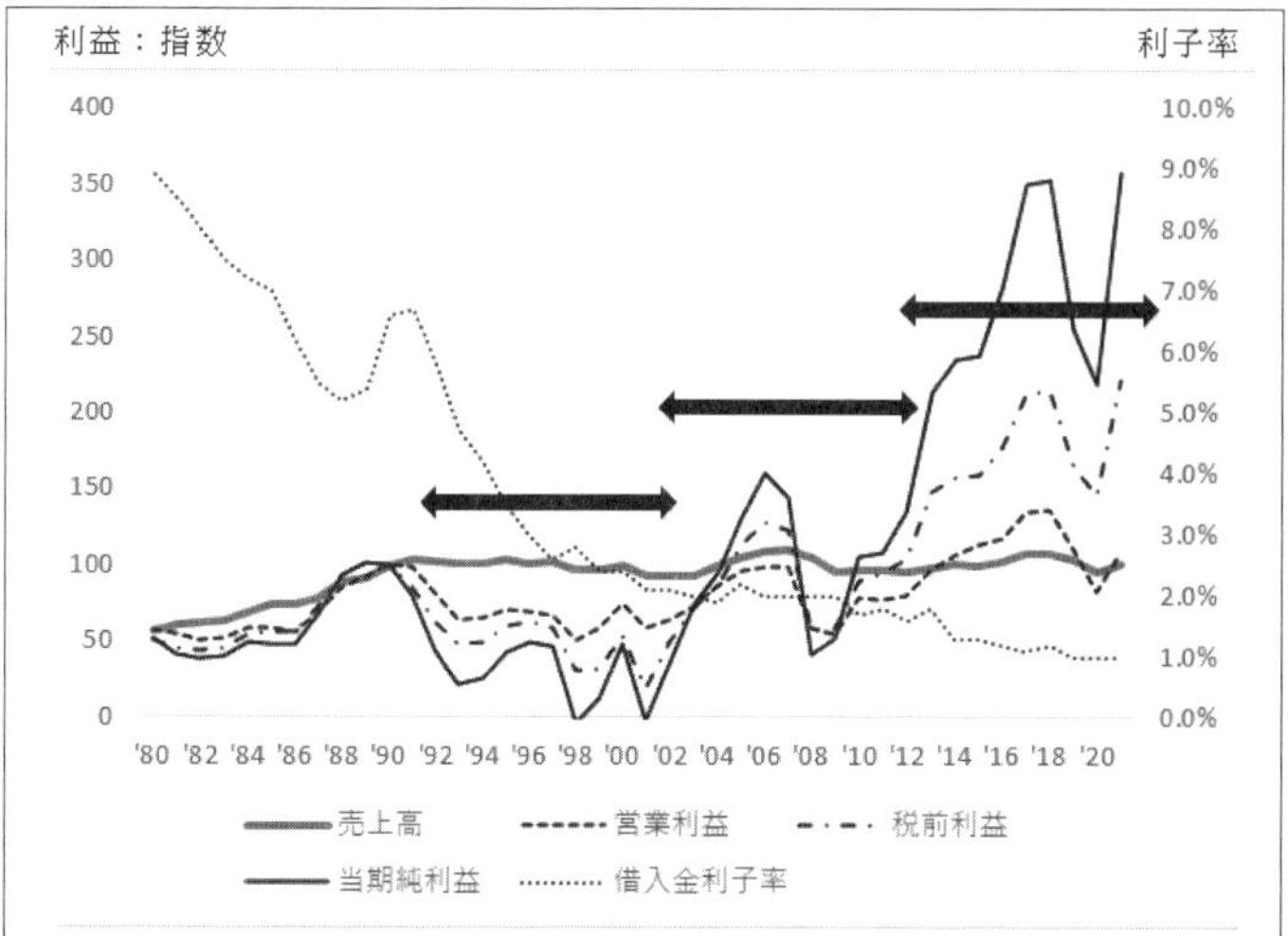

法人企業統計調査時系列データから作成　金融保険業を除く全業種・全規模

経常利益の額は営業利益の額を下回り、その経常利益は固定資産の売買などの特別な利益・損失がなければ税引き前当期利益となって営業利益が経常利益、税引き前利益を上回ります。それが低金利によって支払利息が減り海外を含む子会社等からの受取配当金など営業外収益が増えたことにより税引き前利益が営業利益を上回る状態が続いていると考えられます。

　このことは、1990年度を基準（＝100）として企業の売上高・営業利益・税前利益・税引後利益の推移を指数表示したグラフ5から確かめられます。なお、グラフに1992年度から2001年度、2002年度から2011年度、2012年度以降の期間の区切りをあらわす矢印を付しています。

92年からの10年間、前半はバブル経済の崩壊から円高、95年の阪神・淡路大震災などの自然災害やオウム真理教の事件、そして先にみたとおりのグローバリズムの名の下での製造業をはじめとした海外移転、金融機関の経営破綻やその後の処理、就職氷河期から日経連（現経団連）の音頭取りによる非正規雇用の拡大、後半は97年のアジア通貨危機などめまぐるしい10年です。次の10年は金融ビッグバンの後の外国法人による株式保有、非正規雇用のさらなる拡大と国内における非製造業の伸長、リーマンショック、２００５年のＪＲ西日本の福知山線の事故、さらに２０１１年からの10年は東日本大震災と原発事故に始まり、アベノミクスが登場します。

このグラフからバブル抑制のための金利の引き上げが行われた後、円高を受けての金利の引き下げがあり、アベノミクスの異次元金融緩和で金利はさらに低下し続けていきます。また金利と歩調を合わせるように法人税率が下げられ、アベノミクスではさらに租税特別措置を拡大して実質の税率を下げていきます。税率、租税特別措置については後述します。グラフから売上高と営業利益がほぼ横ばいであるのに対し、アベノミクスの時期に税前利益、税引後利益が大きく上昇していることが一目でみてとれます。90年代に労働規制の緩和によって「ヒト」が一段と商品化され、「自助」ではなく低い金利と低い税率による「公助」から得た利益は、配当と社内留保にまわされ巨額の内部留保を積み上げてきたのです。しかしこの「公助」が、技術の海外移転を追いかけるように日本の企業、経営者にモラルハザードを起こさせ、「失われた30年」日本経済を停滞させたのではないでしょうか。雇用の規制緩和によってフレキシビリティを確保し固定費を変動費にかえ、その変動費を下げるほかは新しいことをしなくても、政府に頼って金融緩和を続けさせれば低い金利と円安メリットを受けることができ、低い税率と優遇措置は、そうして残った利益を配当金や自己株式買いで株主に還元することを可能にして自らの首は保障され、ストックオプションで利益の配分に預かることもできます。さらに企業には消費税の還付もあれば海外の子会社・関係会社からの配当は税金を払わないですむ税制は、まさに言うことなしで節税策は英米のネットワークにはいった会計士、税理士がバッチリやってくれます。何しろ高い料金を払っているのですから。

岩井克人は先に挙げた『会社はこれからどうなるのか』のなかで「法人の歴史的起源」は、都市や総員といった団体が封建領主と結ぶ契約を簡素化するにあったこと」は法人が本質的に公共的な存在であるということを意味するとして、「社会の承認にその存在を負っているという意味で本質的に『公共的な存在』」で、経営者が会社は「社会の公器」であると述べたりするのは決して的外れではないと言います。注② 太平洋の向こう側から押し寄せた経済思想が、バブル期の熱にうかされ「公器」であることを放棄して株式や土地の投機に利益を追いかけた経営者とその周辺をとりこんで日本型システムにとってかわるのは容易だったかもしれません。そして新自由主義を引き継ぎ「公器」を忘れたところに本当のイノベーションがうまれなかった、それが今の停滞を招いたと言うほかないのでしょうか。

次に家計をみます。この25年間、賃金も消費もずっと下降したというのがこの国の庶民の暮らしぶり、「生活」の実態です。2023年3月に内閣府が発表したレポートなどから「日本の賃金像を探った」東京新聞の7月18日付け「シルマナブ」からポイントを引用したのが次です。

・**所得の山**　年収から所得税や社会保険料を差し引いた年間所得は1994年に400万円台の世帯が13・7％で最多だったものが、2019年には200万円台が18・6％で最多と下方に移動。働き盛りの45〜54歳の世帯の所得は94年の600万円台の比率14・7％が最多だったのが、2019年には400万円台の13・5％が最多。

・**金融資産の変化**　預金や株などの金融資産から住宅ローンなどの負債を引いた純金融資産は、94年はどの世代もプラスだったが2019年は35〜44歳の世帯で、マイナス338万円、34歳以下もマイナスです。また各国の平均給与をOECD統計から拾って1990年と2019年を比較してみると1994年では日本が4万523ドル（購買力平価換算）に対し、韓国、アメリカ、豪州はそれぞれ2万8392ドル、5万2931ドル、4万3874ドル。

それが2019年では日本が4万1699ドルに対して、それぞれ韓国4万7207ドル、アメリカ7万3194ドル、豪州5万8620ドル、この間のアップ率は日本が3％、韓国66％、アメリカ38％、豪州34％になります。注③ 東京新聞の記事は所得の下方移動等の変化の要因について内閣府幹部の「高齢化」の説明を引きながら、「非正規比率増加」「成長戦略の停滞」をあげています。

白井聡はその著作『長期腐敗体制』において第二次安部内閣（「2012年体制」）を不正・無能・腐敗の3拍子が揃った「長期腐敗体制」と断じてその経済政策についてアベノミクス「三本の矢」をリフレ派の異次元金融緩和政策、ケインズ派の機動的財政出動、ネオリベ派の規制緩和による成長戦略の混交と分析し、実際にとったのはネオリベ派であったとし、それがうまく行かなかった後半は「三本の矢」を封印してみかけリベラルなスローガンを打ち出したが結局は、実態は大企業など既得権益層を優遇したに過ぎなかった、と言います。注④

そのネオリベ、新自由主義の不公正を企業と国家の「分配」からみていきたいと思います。ここでは企業に関して、資本・株主と従業員の間の分配について前者を資本株主パイ、後者を従業員パイとしてその割合がどう変化してきたかを追跡します。具体的には法人企業統計調査をもとに役員報酬、株主配当金、社内留保の合計を資本株主パイ、従業員の給与と福利厚生費を従業員パイとして両者の割合を1980年度に遡って比べてみます。金融保険業を

グラフ6　資本株主パイと従業員パイの割合、
人件費（従業員給与賞与・福利厚生費合計）の推移

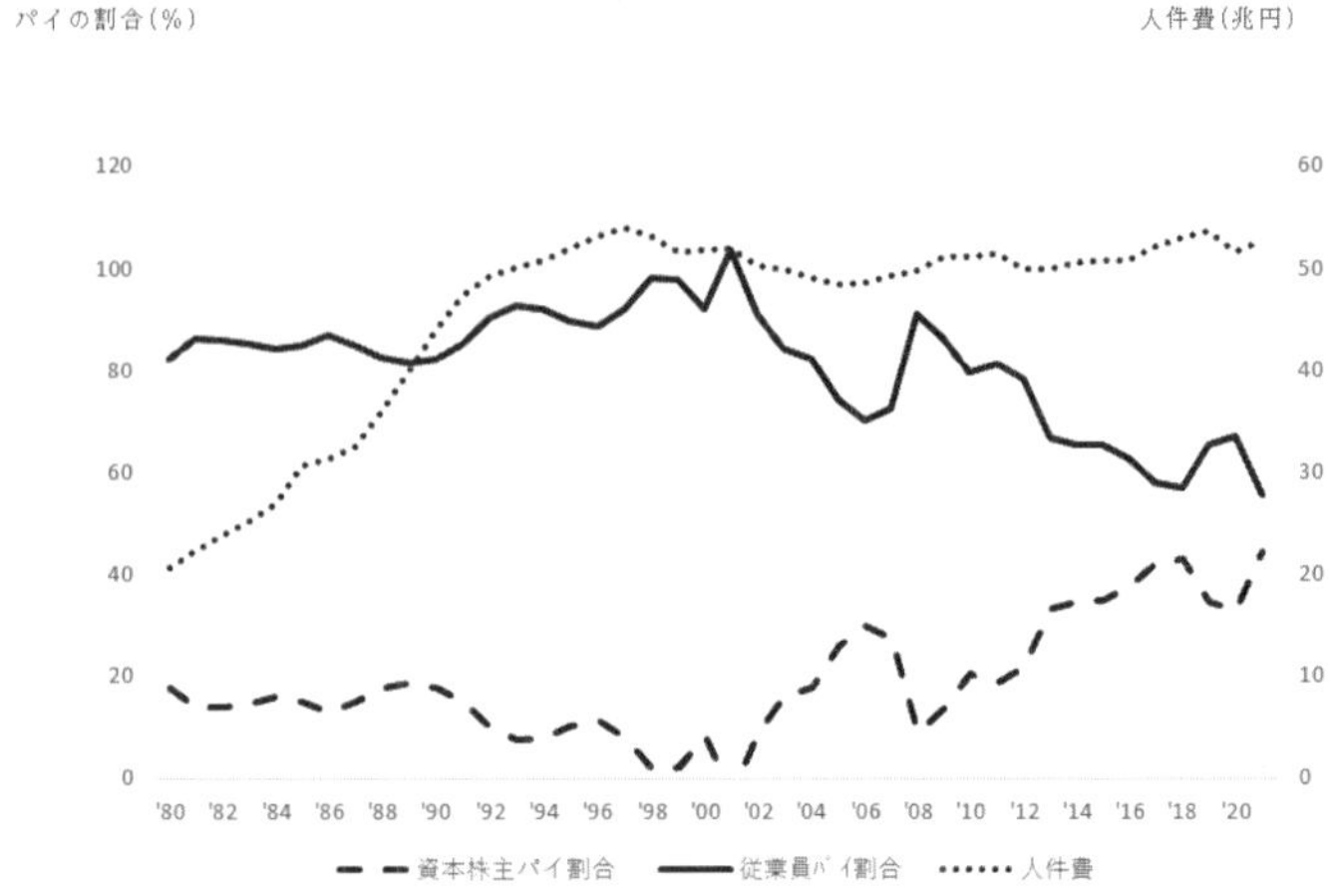

法人企業統計調査をもとに作成　金融保険業を除く全業種（資本金10億円以上）

除く全業種について資本金10億円以上の企業の両者の割合と人件費（給与・賞与と福利厚生費の合計）の推移を表したものがグラフ6です。1994年度では従業員パイが92％、資本株主パイが8％、その差が84％であったものが2019年度では従業員パイが65％、資本株主パイが35％、その差30％と大きく変動しています。

この両者のパイの差を会社の資本金の規模別に表したのが次のグラフ7です。同じように94年度と2019年度を比較すると資本金の全規模、1億円以上10億円未満、1億円未満の企業でそれぞれ66％、88％、53％だったのが、2019年度には42％、59％、45％と矢張り差が縮小しています。

以上には自己株式および新株予約権は考慮

グラフ7　資本金規模別資本株主パイと従業員パイの差の推移

単位：％

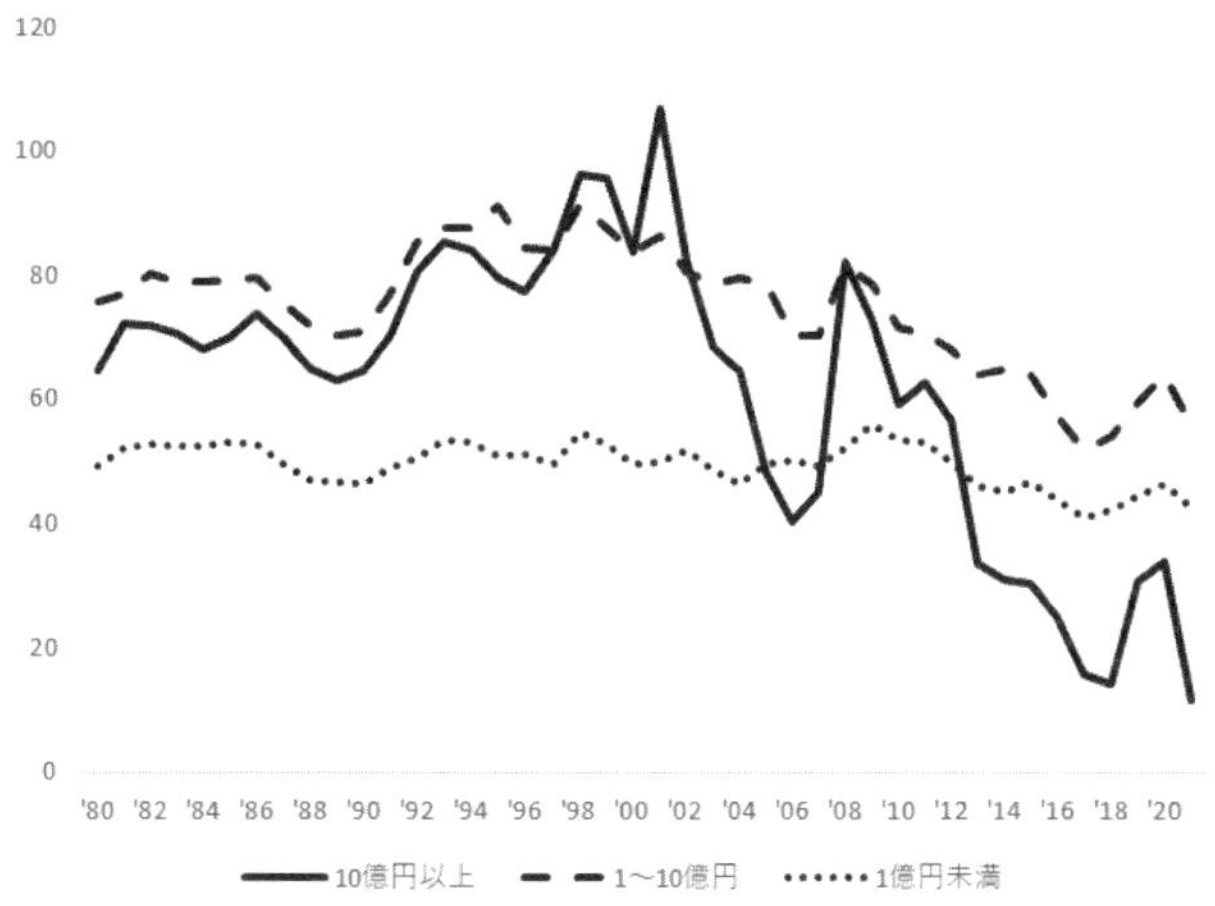

法人企業統計調査をもとに作成　金融保険業を除く全業種

していません。これらを加えれば資本株主パイの比率はもっと大きくなります。従業員数をみると94年度で例えば全規模３８４６万人、10億円以上では７３１万人だったものが２０１９年度では全規模４１２３万人、10億円以上７５７万人ですから従業員数が増えているにもかかわらず従業員パイの割合は縮小しています。

右側に向って口を閉じたワニの顔をしたグラフ６は、バブル崩壊と円高の圧力を受けて資本株主が従業員のパイを蟄り取って呑み込み、その外圧を従業員に移譲して満足した様子を表しているようです。この間、非正規雇用者割合は94年20％に対して２０１９年には38％になっています。

以上のように家計から企業に所得が移転

グラフ8　一般会計分の資本課税と労働生活課税の税収にしめる割合および労働生活課税額の推移

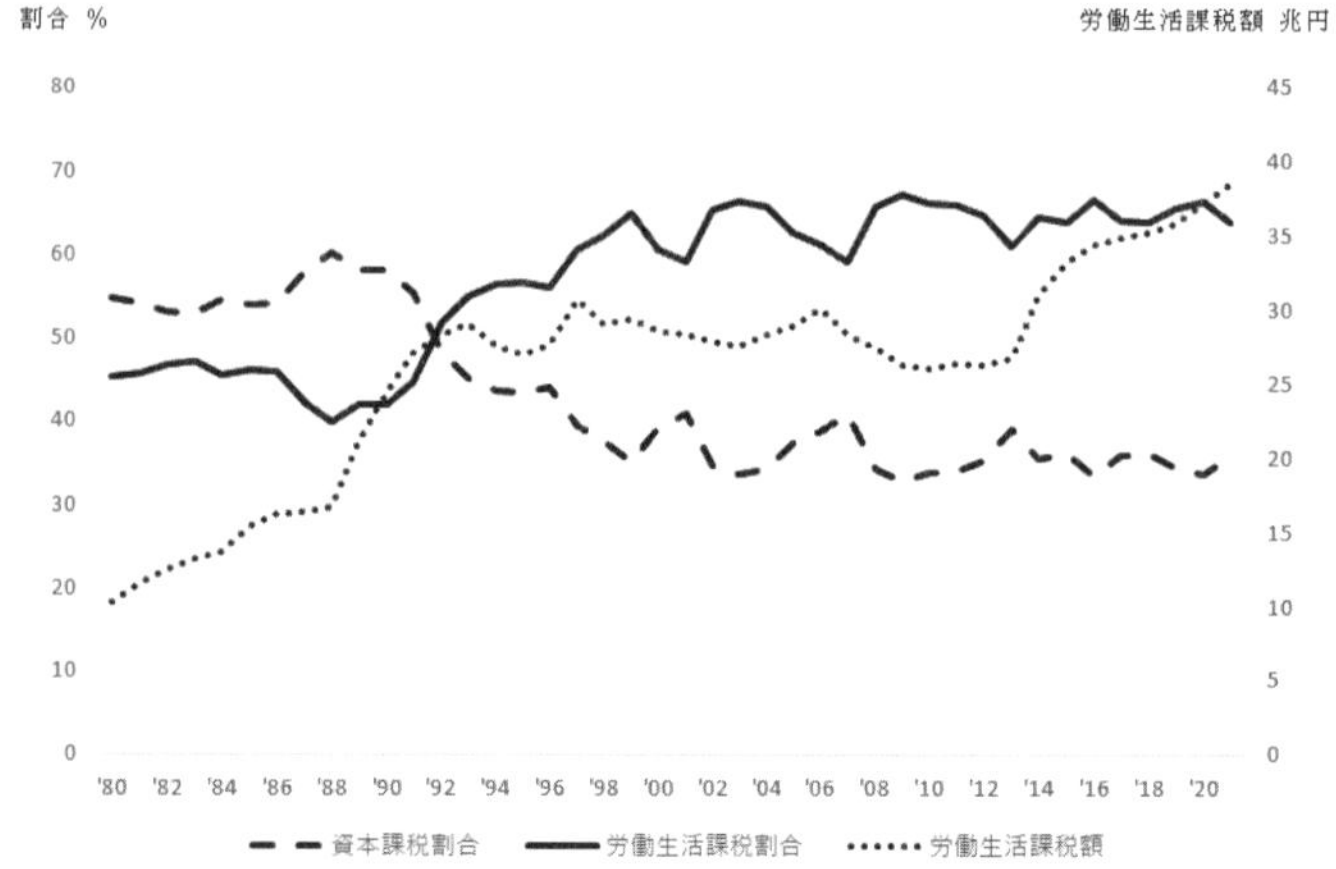

国税庁長時系列　申告税・源泉徴収税等のデータをもとに作成

した「分配」に対して、国の「分配」はどうでしょう。宮本憲一は新自由主義について「社会サービスの削減、公共サービスの民間委託、税制改革による行財政改革」のワンセットをあげていましたが、ここではその税について「分配」の公正さを検証してみます。

１９８９年の消費税導入の口実は社会保障費負担増のため、また税の直間比率を欧州並みにというものでした。グラフ８は資本所得に課される税（以下「資本課税」という）と、労働と生活に係わって課される税（以下「労働・株主課税」という）の一般会計にしめる比率の推移を示したものです。前者は法人の所得や株主に支払われる配当、預貯金等の利子所得、株式や不動産その他資

グラフ9　資本金規模別（10億円以上vs1億円未満）の営業利益の比率推移

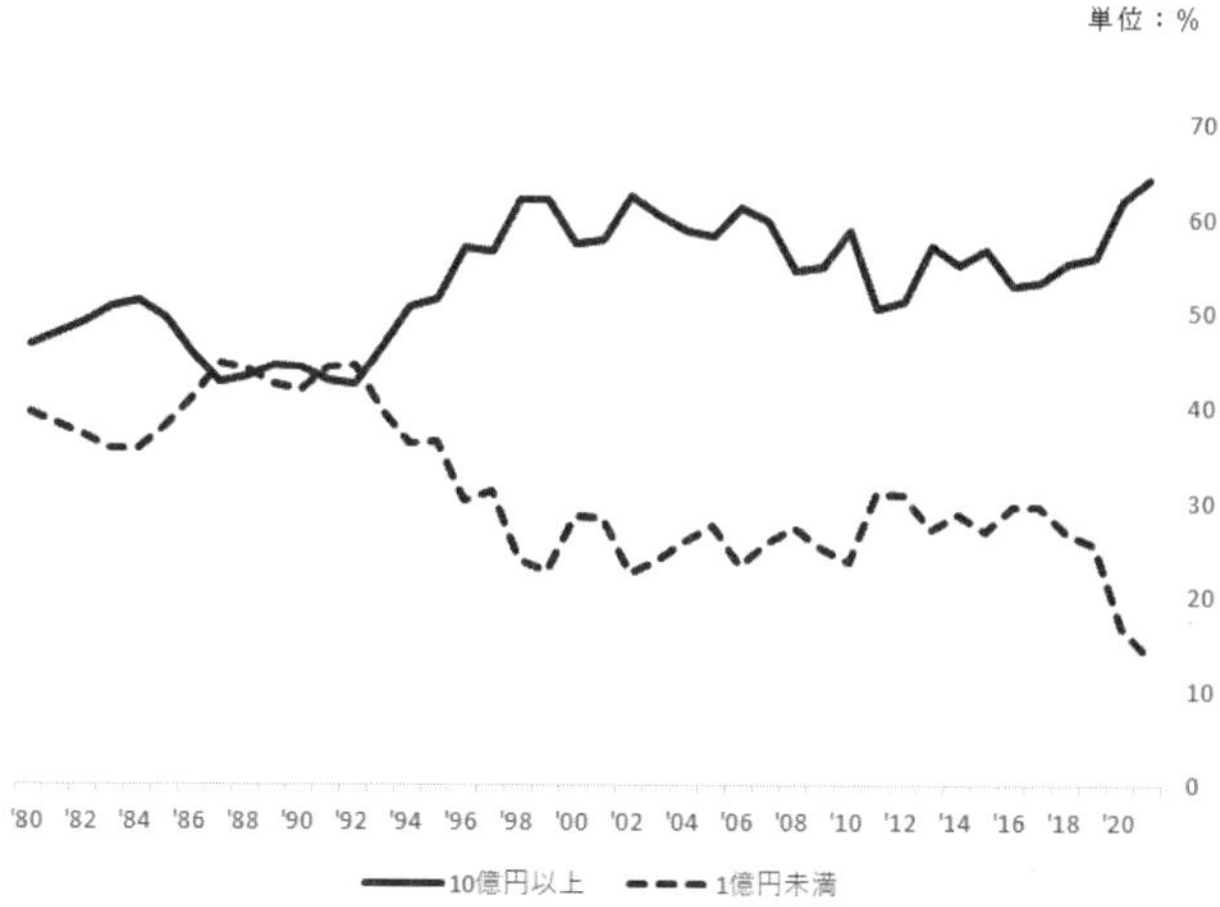

法人企業統計調査　時系列データをもとに作成、金融保険業を除く全業種

産の譲渡に係わる所得などに課税されるもので、法人所得税、源泉徴収税のうち給与・報酬・退職所得以外の所得に対する税、申告所得税と相続税・贈与税の合計、後者は給与賞与、報酬など労働の対価として得る所得、日々の生活で購入する物やサービスに課せられるもので給与・報酬・退職所得に対する源泉徴収税に消費税、その他間接税の合計です。（地方税を除いています。）

「資本課税」の比率が１９８０年度では55%、消費税導入の直前８８年度60%だったものが２０１９年度では34%になっている一方で「労働・生活課税」は80年度45%、88年度40%、２０１９年度66%になっています。資本税への軽課、労働・生活税への重課が明らかです。

富岡幸雄はその著書の『消費税が国を滅ぼす』で消費税が法人税と所得税・住民税の穴埋めとして1989年度から2019年度までの31年分の法人3税の減収額298兆円、所得税・住民税減収額275兆円の穴うめに同じ期間の地方分も含めた消費税総額397兆円が使われたとしています。[注⑤]また消費税には、間接的に非正規雇用をうながしやすい性質、力の弱い中小企業事業者が価格に転嫁できない「損税」としての性格を有することが指摘されています。[注⑥]法人企業統計調査から資本金10億円以上の企業と1億円未満の企業の営業利益の比率をとってみるとこれら損税としての性格等を裏付けるように導入時期を境にその比率が大企業有利に動いていることがわかります。グラフ9では消費税導入前44%対42%と拮抗していた営業利益の比率が導入後には資本金10億円以上の企業が1億円未満の企業の利益を圧倒していき、2019年度では56%対25%になっています。[注⑦]

先のグラフ6と同じようにこれらのグラフをワニの姿に例えるならば、右側に向かって口を開いたグラフ8は企業減税で空かしたお腹を国民からの消費税で埋め合わせようとしているかに、そしてグラフ9は、さしずめ貪欲な大企業がさらに腹をみたそうと中小企業に襲いかかろうとする姿に見えます。その大企業の多くは多国籍企業でもあります。付け加えるならば、1995年に10・5%だった外国法人の株式保有比率は、グラフ6の株主資本パイが従業員パイを猛烈な勢いで浸食し始める時期、2000年には18・8%、2004年23・3

%そして2019年には30%まで増えていきます。内橋がかつて得べかりし所得の移転先として、「もっと先にアメリカがあり」と述べたのは、こうした事情も含めたものだったのでしょうか。コロナ禍の3年間の10億円以上の企業の配当金に限ってみても、その合計67兆円のうち約30%、20兆円が海外の機関投資家やファンド、外国法人等の懐に流れ込み、約17%、11兆円が個人投資家の口座に振り込まれました。

注①　内橋克人『共生経済が始まる　人間復興の社会を求めて』P46
注②　岩井克人　前掲著　P069
注③　OECD統計　Average wages (indicator) :doi:10.1787/cc3e1387-en (accessed 19/09/2023)
注④　白井聡『長期腐敗体制』角川新書　2022年　P95
注⑤　富岡幸雄『消費税が国を滅ぼす』文春新書　2019年　P84～87
注⑥　伊藤周平『消費税増税と社会保障改革』　ちくま新書　2020年P059・06
注⑦　資本金10億円以上の企業と1億円未満の営業比率の差異が大きくなる要因には、消費税の損税のほかに消費税の導入がもたらした国内消費の低迷が国内を主な市場とする後者により大きく影響するのに対し、輸出中心の大企業は金融緩和による円安メリットを享受できることが考えられます。さらにその円安メリットは海外からの受取配当金にも反映されます。

◉第4節　つくられる格差、富

太平洋の向こう側からの圧力を受けた国と企業は製造業の海外移転と国内の雇用規制の緩和を進め、日本型システムを放棄して新自由主義のイデオロギーに基づいた政治と経済がこの国を蓋っていきました。前節でみたのは金利水準の低下がもたらした預貯金利息、労働規制の解体から非正規雇用の拡大によって抑制された賃金の「得べかりし所得」が「家計」から「企業」へ移転し、他方「国」は日本から足を洗った「多国籍企業」への減税分の穴埋めに消費税で「家計」から所得を「企業」に循環させる構図です。さらにこうして「家計」から吸い上げられた所得は配当として「企業」の先の株主、海外のファンド、投資家、「富裕層」へと移転されて一億二千万人がより良い生活を送るための「国民経済」が後退していきます。民営化でみたように地方の各所で外部不経済が生み落とされ、正規と非正規雇用の所得格差は多数の家計を毀損して内橋のいう「不均衡」が拡大しました。子どもの教育に格差が持ち込まれ、持ち家のためや老後のための「蓄え」の手立てにも雇用形態による格差がついてまわり「公助」と「自助」が倒錯してさらに不均衡が広がっていきます。それが等価可処分所得の中央値の2分の1（2018年で124万円）以下で生活する人の比率である貧困率15・7%、OECD38ヶ国中で高い方から8番目という数値にも表れています。

しかしそうした市場経済、株主資本主義のもとで「分配」の余慶として配当や金融資産の価格上昇、株式譲渡所得が一定数の人に分配されることによって所得の移転と支配は継続していきます。その階層の中心には「よき時代」に人生の大半を過ごしたベビーブーマー世代がいることは間違いないでしょう。

グラフ10　配当金、外国法人等・個人の保有株式比率の推移と非正規雇用比率の推移

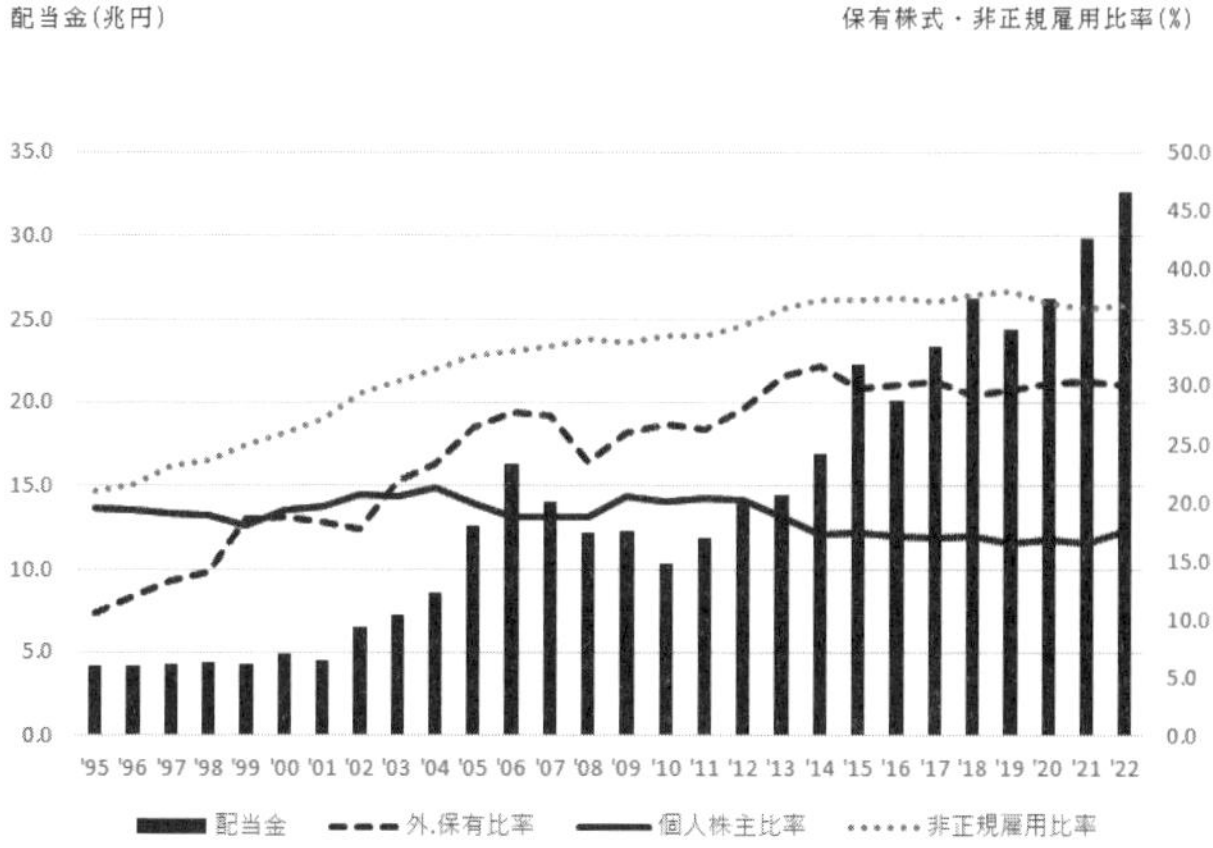

配当金：法人企業統計調査、金融保険業を除く全業種・全資本金規模
株式保有比率：東証ほか株式分布状況調査から作成

グラフ10は１９９５年度以降の企業による配当金の合計と個人株主および外国法人等の株式保有率の推移、非正規雇用者の比率の推移を表したものです。２００２年には製造業の就業者数が10年前に比べて２３０万人減り翌年には非正規雇用者の比率が30%を超えました。２０００年代前半からリーマンショックの一時期を除いて企業の配当が急伸長していきます。株主への富の移転、分配が何をもとにして行われたか明らかです。

２０２１年度の企業の配当金総額（金融保険業を除く）は30兆円、そのうち約５兆円が個人株主の口座に振り込まれました。その配当以外に株式の売買に係わる譲渡所得が申告税の申告分だけで約４兆円に上っています。

10年前、２０１２年12月に第２次安倍内閣が発足しましたが、同年11月23日８６８１円であった日経平均が上昇に転じ２０１３年５月７日には１万４１８０円をつけリーマン・ショック前の水準に戻りました。この当時の株式市場の活況について、伊東光晴は『アベノミクス批判　四本の矢を折る』（岩波書店　２０１４年）でアベノミクスの金融政策に触れ、株価上昇への力はアベノミクスとは何の因果関係もないとし上昇への動きはそれ以前からあり、根拠として日本の株式市場の主役である海外のファンド、投資家が10月を節目にそれまでの売り越しから買い越しに変わったことを挙げています。２０１２年前半には欧米の市場において株価がリーマン・ショック前に戻しており買う余地がなくなっていた結果、海外のファンド、投資家が日本に向かって上昇への力となったというものです。確かに海外投資家の貸し越しは２０１２年12月から翌年３月までの間、合計５兆４９２２億円にのぼっています。株式の売買は海外の投資家、ファンドが７割をしめており相場を左右する主役のプレーヤーです。これをウィンブルドン現象と呼ぶそうですが、伊東は当時の株価の上昇は、このように海外筋の買いによるとしています[注①]。

物価の目標を達成できない政府・日銀はＥＴＦ（上場投資信託）買い入れ額を２０１６年に６兆円、２０２０年には12兆円に増額するなど金融緩和の拡大の道をひたすら突き進んでいきます。国債を日銀が引き受ける一方で、GPIF（年金積立金管理運用独立行政法人）、ゆうちょ銀行などの資金運用の見直しを通して株式市場への誘導をはかります。金融機関や個人投資家が株式・外債等のリスク資産に運用の比重を移し「ポートフォリオ・リバランス効果」を生み出すために独立行政法人、準政府金融機関を動員しました。日本の株式市場の主役プレーヤーである海外投資家、ファンドにとっては願ってもない材料であり、また海外市場は外国株や外国債券を購入する巨大な投資家が誕生したのですからまさに「サンクス・ジャパン」です。「ポートフォリオ・リバランス」は、GPIF、3共済など年金運用機関やゆうちょ銀行・かんぽ生命のポートフォリオの見直しを通してだけではなく、イギリスのISA（個人貯蓄口座）にならったNISA、企業の確定給付年金から確定拠出年金への誘導、個人型確定拠出年金（iDeCo）もそうした意図がこめられた政策です。海外投資家、ファンドと「貯蓄」から「投資」への誘導が、株価をバブル以来の最高値を行き来する現在まで相場の主役でしょう。伊東光晴は前掲著において「エコノミスト　2014年7月1日号」の「官製相場の賞味期限」と題する記事を引用して、6月初めに当時の安倍首相が田村厚生労働大臣に年金資金運用基金の前倒しを指示したこと、それにより13年末から低下傾向にあった株価が5月に上昇を始めたことに触れています。注②　ちなみに日銀のETF・REIT（不動産投資信託）合計の残高、日銀およびGPIFとゆうちょ銀行の運用資産について2015

年3月末と2022年末3月末の2時点における残高をみると、日本銀行が4・8兆円から37・2兆円と32・5兆円の増加、GPIFが137・5兆円から196・6兆円と59・1兆円の増加、ゆうちょ銀行は32・6兆円から69・1兆円と36・4兆円の増加、合計で128兆円の増加になっています。このような巨額の資金が金融市場に流れ込み、投資信託や株式、外国債券・株式などの金融商品を買い付けたということが推測されます。またNISAの利用者数は、2022年3月末で一般NISA、つみたてNISA合計で1699万口座、個人型確定拠出年金iDECOの加入者は194万人、うち第1号加入者は約21万人となっています。NISAを通して金融市場に流れ込んだ資金は2014年度からの累計で約27兆円だそうです。

そうした官製相場がつくりだす市場の取引で株式の売買等による所得の配分の分布はどうなっているでしょうか。国税庁の申告所得税標本調査から分布を拾ってみると、株式等の譲渡所得合計3・1兆円のうち合計所得5000万円超の階級の人1万3795人が株式譲渡所得合計の83％に当たる2・6兆円を稼ぎ出しています。さらにこのうち5億円以上の所得のある人1111人が譲渡所得合計の半分以上の1・7兆円を懐にいれました。平均すると1人当たり15億円近くになります。これに対し1千万円以下の所得の人、10万7803人が稼ぎ出した所得は、総額の4％に当たる1370億円で、1人当たり130万円です。同調査による配当所得についても、総額0・8兆円のうち5億円以上の所得のある970人が2481億円、全体の32％をしめ、平均で1人当たり2・5億円の配当所得を得て資産を増やしています。

この標本調査から株式譲渡所得や配当所得は巨額の所得を得る少数者でしめられていることがわかります。両所得の申告者数はあわせて約60万人ですが、これは日本証券業界が公表している「個人株主の動向について」（2022年9月21日）に記載されている2019年の個人株主数（居住者と非居住者の合算）1358・9万人の4・4％に当たります。同レポートでは個人の金融資産は2015年度末1753・8兆円だったのが、コロナ禍の2021年度末には2005兆円と2000兆円を超えています。また野村総合研究所が2020年12月に公表したニュース・リリースでは日本の富裕層は133万世帯、世帯として保有する金融資産合計額から負債を差し引いた純金融資産総額は333兆円だそうです。その内訳は、純金融資産が5億円以上の「超富裕層」が8・7万世帯、全世帯数5402・3万世帯の0・1％、1億円以上5億円未満の「富裕層」が124万世帯、同2・3％ともに2013年の5・4万世帯、95・3万世帯から増加しているとし、その要因は株式などの資産価格の上昇と、金融資産の運用によって世帯当たり5000万円から1億円の純金融資産を保有する「準富裕層」（341・8万世帯、全世帯数の6・3％）の一部が「富裕層」に、「富裕層」の一部が「超富裕層」に移行したためと考えられる、としています。
しかし前節からこれまでの検証でみえてくるのは、野村総研のレポートにある全世帯の78・9％からなる「マス層」の下位から上位の3層へと、上方に所得が移転する富の再配分です。
また先にあげた申告所得税分の配当所得0・8兆円のうちの27％に当たる0・2兆円は給与所得者の申告がしめており、合計所得5000万円超の1万1418人がその約4割を占めています。その給与所得者の企業のオーナー、大企業の役員でしょうが、その役員報酬について2022年7月22日公開の東京商工リサーチの記事は同年3月期決算「役員報酬1億円以上開示企業」調査を掲載しています。それによると1億円以上の役員報酬を開示したのは287社、人数は663人、前年の254社、544人から社数・人数とも増えて過去最多を記録したと報じています。前年3月期には1位のセブン＆アイHLDの取締役27・5億円から10位の武田薬品工業取締役9・1億円までの10人のうち、8人までが外国人でしたが今年度は3人が外国籍の役員です。アメリカの経済が日本の経済を自国に取り込んでいくグローバリズムです。[注③]
また同じ東京商工リサーチによると役員報酬と従業員の平均給与との格差が最大なのは、トヨタの取締役9億6000万円と従業員の平均給与857万円と約105倍の差、国税庁による平均給与433万円とは200倍以上の差があります。「人を大切にする経営学会」会長の坂本光司は、大学を出た人間が定年まで働いて得られる生涯賃金2億円から2億5000万円、中小企業だともっと大幅に少ないとして、「私は（役員報酬を）もらい過ぎだと思います。出せる、出せないではなく許されないとさえ思います」と述べています。注④　坂本は「社長の適正な報酬は、一般社員の5倍程度だと考えています」とし、その根拠を社員の1日8時間、月に20日働くのに対し、社長は土日も含め仕事のことを考える、すると社員の5倍分働くからと述べています。英米でも大企業役員の巨額の報酬については批判があり、米国民主党左派のバーニー・サンダースは一般社員の平均給与の50倍以上の報酬を出す企業には連邦税の上積みを求める提案をしています。また大富豪からは2020年に、「コロナ禍は慈善では解決することが出来ない。政府指導者は公平に資金を集めて使う義務を果たさなければならない。社会に必要な労働者の殆どがその負担に対して余りに過小な賃金しか受取っていない」として増税を求めるアピールが出されました。またイギリスのシンクタンクから役員報酬のキャップ制の提案が出されたりもしています。

政府と企業（そして超富裕層）は家計を「マネーゲーム」に誘導しました。前掲の野村総合研究所のレポートでは上位3層の下位層として3000万円以上5000万円未満の金融資産を保有する「アッパーマス層」（712・1万世帯）、それ以外3000万円未満の「マス層」（4215・7万世帯）を設定していますが、かつてのマル優制度や財形、社内預金が日本の「マス層」を対象とした福祉型であったとすれば、株式やNISAが対象にするのは上位層、余裕資金のある「アッパーマス層」と「マス層」上部の一部です。

その「マス層」の大半、働く人の40％近くをしめる非正規雇用者の多くが将来においても非正規雇用に留まる、或いは途中から正規社員に道を得たとしても、前述の生涯賃金を稼ぐことは難しいのではないでしょうか。企業に70歳まで働ける機会の確保を求める改正高年齢者雇用法が施行されたのが2021年4月でした。東京新聞の特報記事では、日本人の健康寿命が男性72・14歳、女性74・79歳、「70歳まで働くと不自由なく過ごせる老後は数年しか残らない。……それでも65歳以上の労働者は増え続け2020年は906万人で2012年に比べ1・5倍に。一方で身体機能が落ちた高齢者の労働災害は増え……労災が減っている中で、高齢者が占める割合は増加傾向が続く」としています。[注⑤] また別の記事では、仕事をしている60代以上の8割近くが経済上の理由とする独立行政法人「労働経済研究・研修機構」2019年調査を引用しています。さらに日本総研の調査（星貴子）[注⑥]を紹介し「高齢者の貧困世帯数が2035年に562万世帯になると予測、2012年と比べ36％増える……背景を無年金や低年金で暮らす高齢者の存在」としています。星のレポートでは、ひとつのパターンとして「世帯年収が最低生活費未満、かつ貯蓄なしの世帯」が2020年時点で350万世帯と推計していますが、最近の内閣府の「令和4年版高齢社会白書」では、高齢者世帯の平均所得金額は312・6万円、中央値は255万円であり、80代女性の約3割、男性の2割が127万円の相対的貧困線を下回っている一方、所得1000万円以上の高齢者世帯が50世帯中1世帯で高齢者の間でも格差が広がっていることがわかるとしています。平均貯蓄額は2324万円で全世帯平均の1791万円の1・7倍となっているが4000万円以上が6世帯に1世帯、17・3％あり、それが数字を押し上げており、中央値は1555万円。また65歳以上の生活保護受給者は105万人で当該人口に占める割合は2・93％に当たるともしています。

私たちは経済発展に遅れをとり児童労働など低賃金で過酷な生活を多くの国民に強いている国について、少数の支配層が富を独占し民主主義と「健全な」資本主義が根付かないことにその原因をみることが多くありましたが、平等社会が崩壊したあとのこの国の姿は他人事ではなく、国の貧窮化は「富」の集中による格差、不正と不公平によってもたらされるのです。副収入や将来資金を得るために株式の投資を始める人たちを対象とした投資セミナーが人気を集め、仕事の合間を縫って投資セミナーや投資アプリに時間を費やす人たち、その反対に株などとは無縁のまま明日の糧を思い煩わなければならない人たち、そして諦めから自虐や絶望の淵で身を焦がす人たち、それが「1億総中流社会」「豊かな社会」の幻想が消滅した末に私たちが目にしなければならない社会、ポスト産業資本主義、金融資本主義の姿なのでしょうか。安い賃金へ雇用を追いつめ、消費税で家計から吸い上げた「富（お金）」を企業・株主へ再配分し格差の拡大を進める、そのような資本主義は500年前にトーマス・モアが「金持ちがかき集めたものを安全に確保するために一般大衆の幸福のためにといってつくりだし強制する法律、制度」と呼んだものとどう変わるのでしょう。

内橋克人は2003年の岩波書店創業90周年記念シンポジウムで「もはや経済学に期待することはない」と呟きながらも、憤激を抑えてシンポジウムのタイトルを「経済危機と学問の危機」と言い換えたことを吐露し次のように発言しています。「戦後、あの焼け跡からいったい何を理想として困難に立ち向かったのか」「いま、進もうとしているのは……『大と小の間の公正な競争とはどうあるべきか』ではなく、そう考えて築いてきた制度の全てを『ご破算』にするということに熱心で」「（そう言うことを言っている人たちは）あの『工場法制定』以前の時代の、あるいは『児童労働』が平然と行われた時代の制度と精神に戻れと言っておられる。それで本当によろしいのでしょうか」注⑦

『世界』に連載されている行方昭夫訳A・G・ガードナー『お許しいただければ』の2023年2月号は「帽子屋の哲学」です。主題は「何でもかんでも帽子のサイズで見る」帽子屋のように「人は自分の趣味、職業、偏見によって色の決まった色眼鏡をつけて、周囲の人のことを自分の尺度で測り、自分の私的な計算によって評価しながら人生を過ごすのだ。人が客観的でなく主観的に見る対象は、見えるはずのものでなく、自分が見うるもののみである。それ故、あの様々な色彩を放つ『真実というものに』について、人が多くの誤った推測をするのは無理からぬことである」というものですが、お許しいただいて、この結論部分に先立つ箇所を名訳からさらに引用させてもらいます。[注⑧]

「実業家は人生を自分の覗き穴から見る。彼にとって世界はマーケットであり、周囲の人をドアやショーウィンドウに用いられている豪華なガラスの大きさで裁断する。資本家も同じだ。ロスチャイルド一門の誰かが、友人の一人が亡くなり、遺産が100万ポンドしかなかったと聞き、『驚いたなあ。彼はあるていど裕福だと思っていたのに!』と言った。その友人が万一に備えて100万ポンドしか貯めなかったので、その人生が失敗だったというのだ。サッカレーはこういう考え方を長編小説『虚栄の市』で余すところなく描いている。『業績、勤勉、賢明な投資などから生まれるものをご覧!わしとわしの銀行預金を見るがいい。お前の爺さんのサドリーとその失敗を見るがいい。だが、今から20年前の今日の時点では、サドリーはわしより立派な男だった。およそ2万ポンドわしより立派だったんじゃ。』と老オズボーンはジョージに言った」

さて現代の投資家、能力主義、業績評価主義に馴染んだ大企業の社員や役員、高い報酬を得る専門の士業の人たちは、この老オズボーンやロスチャイルド一門の某の言葉をどのように受け止めるのでしょう。能力給、業績給が徹底されたところでは役員や幹部社員から正規社員まで「私は彼より給与で5万円エライ」と考え、「正規は年収で300万円エライ」と考えるのが当り前になっているのでしょうか。

注①：伊東光晴『アベノミクス批判　四本の矢を折る』（2014年　岩波書店　P18、19）
注②：伊東光晴　前掲著　P150
注③：1億円超の役員が最多だったのは日立製作所の18人、2位が三菱UFJファイナンシャルグループと東芝の13人だそうです。経営再建中の東芝がなぜ？と思いますが、株価の上昇に連動して報酬が上がる仕組みを導入したことなどが影響したとみられるとしています。また、週間ポスト2022年8月26日号は「令和の女大富豪」と題する特集記事で1億円以上の女性役員16人をランクしていますが、ここでも1位の電通グループ役員16・7億円以下7名が外国人です。
注④：東京新聞夕刊「この道」㉝から。
注⑤：東京新聞2021年4月8日特報「［70歳］労働か悠々自適かあなたの未来図は」から。
注⑥：日本総研　副主任研究員「生活困窮高齢者の経済的安定に向けた課題」2017年
注⑦：岩波書店創業90周年記念シンポジウム「経済危機と学問の危機」宮本憲一、内橋克人、間宮陽介、吉川　洋、大沢真理、神野直彦　P47、48から
注⑧：行方昭夫訳A・G・ガードナー「お許しいただければ」『世界』2023年2月号　P282
サッカレーの『虚栄の市』（1847～1848）は19世紀初頭の英国を舞台にした小説。

◉第5節　つくられる格差、税

新自由主義経済の下で、配当や高額な役員報酬による「富」の再分配、政官と金融機関による金融商品・市場への誘導が「所得」の移転をと格差をつくりだしたとすれば、それを「金持ち」が安全に確保するための方策が税の制度です。その税制度の改正は「応能負担原理」をないものにして累進性を弱めあるいは逆転させ「税」が格差をつくり出していきます。その象徴が先にみた法人税の減税と消費税の導入であり、次の所得税の減税です。

個人の所得に課せられる所得税の累進性が一番強かったのが1983年までで最高税率75%、所得が8000万円超の人。1988年には最高税率60%（所得が5000万円超の人）、消費税が導入された1989年には最高税率50%（同2000万円超）に引き下げられ2007年には40%（同1800万円超）にまで下げられましたが、2015年に45%（同4000万円超）を課す修正が行われました。税率の引き下げは所得が高い分だけ超富裕層、高所得者に恩恵が大きいのですが、さらにこれら超富裕層、高所得者に多い株式譲渡所得や配当所得には定率の分離課税が適用されるため「申告納税者の所得税負担率をみると、200万円で2・6%、1000万円で10・6%と上昇するが1億円段階での28・3%をピークに、合計所得金額が高くなるにしたがい所得税負担率が下降するようになり100億円超になると15・8％と年間所得1500万円の人の負担率と同じ」になる大きな問題があります。注①

元国税調査官で税務コンサルタントの大村大次郎は創設時や増税が話題になるときには必ず財務省や財界は「日本の金持ちの税金はもとが高いのだから減税されてもいいはずだ」と言うとして、個人所得税の実質負担率（対国民所得比）が欧米先進国に比べて大幅に低いことを挙げて日本の金持ちの税金は欧米の半分以下と指摘しています。注②

各種税の正味の税率（税額を課税価格で除した率）の推移を追ってみると、消費税3％が導入された1989年は、給与所得（源泉所得税）の正味税率5・1％、申告所得税は10・9％、相続税20・3％、でしたが、消費税が10％に引き上げられた後の2020年は3・8％、7・4％、12・8％になっています。因みに法人税等正味税率（法人所得税、同住民税、同事業税の3税の税前利益に対する割合）は1989年53・8％、2020年は30・8％になっています。消費税が税の家計から企業への付け替えとすれば、所得税の減税、資本性所得への一律の比例税率の適用や相続税減税は超富裕層、富裕層を優遇するもので、こうして税によって格差が拡大していきます。

減税に使われる口実は、富裕層、企業への減税が消費や賃金にまわって景気がよくなるというトリクルダウンの理論ですが、それが誤りであるばかりか社会に格差と分断を生むことは既に多く指摘されています。例えばロバート・ライシュは80年代のレーガンの減税、規制緩和は過剰な支出で一時的なブームを起こしたが結局は深刻な不景気に終わったにも拘わらず、その後も限界税率の修復がなされなかったとして１９８９年から２０１９年の間アメリカの典型的な勤労家庭の富の増加が微々たるものであったのに対し、１％の富裕層は26兆ドル、富を増やしたと述べています。注③ また英紙によれば、ロンドン・スクール・オブ・エコノミクス（ＬＳＥ）の研究では、トリクルダウンは米国だけでなく英国でもその他16の先進国でも失敗しており減税が成長に及ぼしたインパクトはゼロに等しいものであったが、研究の中で見出した減税の重大なインパクトとは勤労者から金持ちへの富の再配分、すなわちトリクルアップであったと報じています。注④ ２０２３年3月の東京新聞のインタビュー記事でアベノミクスの指南役であった浜田宏一も自己弁護のようにトリクルダウンが起きなかった失敗を語っています。

消費税の問題点は、①「多く稼いだ者が多くを払う税の大原則に反し、稼ぎの少ない者の負担が増す『悪魔の仕組み』である」逆進性、注⑤ ②輸出企業への還付金、③企業に雇用の外注化、非正規雇用を促進する性格、④「物価の一部」としての性格付けによる「損税」として中小企業を圧迫、等です。逆進性については、可処分所得にしめる生活必需品の割合が低所得者ほど高くなる問題点は、当初から指摘されたことです。②の輸出企業への還付、戻し税は、輸出企業は国内で材料を仕入れた場合に支払った消費税を売上段階で消費税を貰えないために、支払った消費税を戻し税として受け取る仕組みですが、下請け企業や外注先の企業が価格に消費税を転嫁できないケースが出ることになり、輸出企業はその分実質負担していない消費税を戻し税として還付を受けることになるというものです。湖東京至元静岡大学教授の試算などでは、トヨタはじめ自動車会社、日立やキャノン等輸出企業10社合計で1兆円を超える還付、戻し税を享受できると推計されています。注⑥ ③は派遣社員、外注化にかかる消費税分を仕入れ額に加算できるため、消費税の課税対象額を圧縮することができ、派遣や請負など、必要な労働力を正規社員から置き換える動機が生じ、非正規化が促進されることを指します。④は、消費税を物価に転嫁できるかは市場における力関係によることになり転嫁できない多くの中小企業にとっては「損税」となって経営を圧迫することになるというものです。③④の影響は第3節のグラフ9に表れていると言えます。

森永卓郎は、著書『なぜ日本だけが成長できないのか』のなかで、新自由主義者たちが国民を騙した3つの神話ひとつ、「日本の財政は危機的状況にある。消費税率を引き上げるしか方法はない」を挙げています。日本の財政当局と御用学者は消費税の①多収性 ②安定性 ③普遍性ないし公平性（所謂勤労世代に偏らないこと）④中立性（経済活動に与える影響が小さいこと）を喧伝し、メディアもそして野党もここまでに述べた税の不公平性を無視したまま、消費税の不公平性、「悪魔の仕組み」のもつ底深い影響について論じません。そこにはメディアの後ろ向きの姿勢があります。また森永も大村も消費税増税の元凶が財務省であり、OECDの消費税率のアップ勧告もOECDに出向している財務省幹部の存在があることを指摘しています。また、欧州各国との比較で日本の消費税率がまだ低いことが喧伝され税率アップの後押し材料に使われてきましたが、それらの国の社会福祉制度と比較してどうか、また企業の社会保険料の負担が海外と比べてどうか、それらの比較の上で論議されるべきことも示唆しています。大村は日本の企業の税・社会保険料負担は対GDP比、税3・1％社会保険料4・5％合計7・6％であり英米よりは高いがフランスの14・0％（社会保険料11・4％）、イタリアの11・7％（社会保険料8・9％、ドイツの9・1％）社会保険料7・3％より低くなっているとしています。[注⑦]

法人税については減税が税引き後の純利益を押し上げ企業の内部留保の蓄積や株主への配当にまわっていることは既にみた通りですが、企業の損益計算書上の法人税等と同調整後の合計額を税引き前利益で除した正味の負担率が前にも触れたように企業の資本金規模によって異なっています。2020年の実績では全規模では30・8％、資本金10億円以上では21・9％、ところが1億円未満では46・9％になっています。2021年ではそれぞれ25・4％、18・1％、37・3％です。

これにはどういう事情があるのでしょうか。2019年12月12日東京新聞に、「法人減税巨大企業に恩恵集中　安倍政権で急増・優遇措置追加へ」の記事が掲載されました。2013年度に賃上げを促すという名目で設けられた「賃上げ促進減税」、研究開発を後押しするための「研究開発減税」によって、2017年度の「税額控除」1兆円を超え、ほかの手法も含めた減税額は約2兆4千億円でこの半分超を企業数で1%に満たない大企業が占めるという専門家のコメントを掲載しています。また専門家によると100億円超の大企業の負担率が法人実効税率29・9%に比べて16・3%と極端に低くなっているとしています。第2次安倍政権発足以来、法人税減税が行われ、消費税で穴埋めしてきたのですが、その法人税では企業間において大企業の優遇、税の不公平が進みました。

同紙は2020年9月13日にも「退陣前アベノミクス振り返れば」と言う特報記事のなかで、大企業優先、中小零細に恩恵乏しいとして菅内閣（当時）へその転換を求める記事を掲載し、16日の1面において所謂「租税特別措置」で資本金100億円超の巨大企業が受けた減税額の総額が第2次安倍内閣発足以来少なくとも3・8兆円にのぼったことを指摘しています。さらに2021年4月の紙上でも法人税の問題を取り上げ「政治献金が多い業界は減税のメリットも大きい」としています。それによれば第2次安倍政権の2013年度から2019年度の間に租税特別措置により企業が享受した所謂「政策減税」は、約6・8兆円にのぼり、業界別では自動車などの輸送用機械器具製造業が、1兆4000億円、化学工業が、8700億、電機機械器具製造業が5300億円であること、自民党の政治献金受皿団体「国民政治協会」への献金は、輸送用機械器具製造業が17・3億円の1位、電機機械器具製造業が12・8億円の2位となっており「献金が多い業界ほど、租税特別措置による減税の恩恵を受けている傾向が浮かび上がる」と指摘しています。

大企業優先の傾向は、国税庁の統計などでも明らかです。例えば、国税庁の法人税標本調査統計から①資本金100億円以上及び連結法人、②資本金1億円未満の法人税の算出税額（申告所得に基本税率を乗じた額）、所得税額控除の金額および同所得税額控除額の算出税額に対する割合を2011年度と2020年度で比較してみます。すると2011年度では、①の申告所得13・2兆円に対し算出税額は4・0兆円（基本税率30・0％）に対して所得税額控除1・1兆円が控除され正味の負担率は21・6％、それが2020年度では、申告所得28・8兆円、算出税額は6・7兆円（基本税率23・2％）、所得税額控除3・3兆円が控除され正味税率は11・8％、一方、②では2011年度の申告所得10・7兆円、算出税額2・9兆円（基本税率27・2％）、所得税額控除0・1兆円が控除され正味の負担率は26・2％ですが、2020年度では申告所得（基本税率21・5％）、所得税額控除0・4兆円、正味税率は19・8％となっています。申告所得が2倍になっているにもかかわらず正味の法人税の税率は大企業では、なんとおよそ半分になっているのです。

中小企業には軽減税率の特例が設けられているため、基本税率はいずれの年度でも1億円未満の法人が100億円以上・連結法人より税率が低くなっていますが、前記に述べたような特例措置を享受できる結果、所得税額控除の算出税額に対する割合が、例えば2020年度では①が49％に対し②は8％のため、正味の負担率は大きく逆転しています。さらに所得税額控除のほかに外国税額控除をいれた2020年度の正味税率は、①が10・5％、②が19・7％です。

次に海外子会社からの受取配当金の益金不算入制度についてみてみます。この制度は国内の子会社や関係会社の株式等にかかわる配当については、課税ベースに100％不算入が認められる制度で子会社や関係会社以外の企業の株式についても50％が益金不算入になっていたものに、さらに2009年からは「一定の要件を満たす海外の子会社についても、『外国子会社配当益金不算入制度』によって、受取配当金の一律95％を益金に算入しなくてもいい」ことになったものです。注⑧

以上を整理すると研究開発費に関する税額控除などの所謂「租特」、外国子会社からの配当金などの受取配当金益金不参入の制度、さらに消費税の項で指摘した輸出企業への巨額の戻し税など大企業への税制優遇は異常に手厚く前掲の東京新聞の献金の記事が示唆するように財・政・官が一体となった新自由主義経済、縁故資本主義の姿に他なりません。

金融保険業を除く全産業資本金の規模別にA 10億円以上、B 1億円以上10億円未満、C 1億円未満のそれぞれの税前当期利益、法人税等（法人税・事業・住民税）、従業員給与と福利厚生費、従業員数の割合を2021年度でみてみると、税前利益はAが59％をしめるのですが、法人税等は42％、従業員給与は29％、従業員数は18％に対して、Cは利益が25％ですが法人税等は37％、従業員給与福利厚生費は51％、従業員数は65％になっています。正味の法人税率はAが18・1％、Cが37・3％と全くの逆累進性になっています。法人税が一律23・2％のように比例税率を採用して累進課税になっていないのは、法人1950年のシャウプ勧告以来、「法人擬制説」の立場にたって「法人としての会社は株主のものだから会社が取得した利益は株主が会社から受け取る配当の段階で課税すればよいという原則のうえに立っている[注⑨]」とのことですが、そうであれば株式譲渡所得や配当所得に一律の分離課税は矛盾した話です。しかしそうした議論がなされないまま政治に近く影響力の強い大企業に有利な税の仕組みが導入され企業間においても、格差がつくられていきます。しかし富岡幸雄が前掲著「税金を払わない巨大企業」で述べているように、Cで表わされる中小企業は全国各地で地域経済の基盤を形成し圧倒的に雇用の機会を提供しています。東京新聞の2022年6月2日付「こちら特報部」のトピックスでは大企業優先がこの新型コロナ禍の経済対策の中小零細企業支援にも表われていることを指摘し「度重なる天災・自然災害ごとに中小企業へ支援するのは、過度な保護になり新陳代謝を損ないかねない」の部分を指して、政府・自民党に根強い「構造改革を進めて生産性の低い中小・零細企業を市場から退散させようとする路線、市場原理主義的改革を強める『ショック・ドクトリン』では」と危ぶむ識者の声を紹介しています。富岡は特定の大企業や高所得者の資産家に対する優遇税制を日本の税制に存在する欠陥と言い「一般国民や中小企業が疲弊して、大企業ばかりが利益を膨らませる社会は、日本そのものが無国籍化していくことにほかなりません」と指摘します。注⑩

富裕層に配当や売買益として分配された「マネー」が富裕層の消費を通して社会に還元されるトリクルダウンが大ウソであったこと、富裕層そして企業への減税が経済に成長をもたらさないことも明らかになったのですが、内橋の言う「天空回廊」の学者、政・官・財はそのことを認めませんでした。かつての国民生活白書で謳った「もっとも重要なことは、国民生活を尊重する原則を確立し経済に奉仕する生活ではなく、『生活に奉仕する経済』であるべき」注⑪は遠い昔のことになり、大衆化のなかで「国民生活」が「市場・マネー」の「経済」に蓋い尽くされて、「生活」とそれを彩るべき多様な価値と想像力が見失われてしまったのです。一方で減税の恩恵を受けた大企業や富裕層はその恩恵の一部を税の専門家、コンサルタントを雇って逃税や脱税を探るのに費やしているのではないでしょうか。

国税庁がまとめた税種類別の調査による追徴額によるとコロナ禍によって調査件数が少なくなる直前の2018年度分では実地調査による追徴税額は5881億円でしたがその後コロナ禍のため実地調査の件数が大幅に減り追徴税額も2019年度5340億円、2020年度3957億円、2021年度5008億円になっています。うち法人税・法人消費税・源泉所得税が3404億円、所得税・個人事業者消費税・相続税が1604億円になっています。

所得税については、富裕層に対する調査状況が継続して公表され海外投資をした「富裕層」に対する調査状況も同様に公表されています。これによると、コロナ前の2018年度では富裕層の申告漏れは763億円、1件当たり申告漏れ金額は1436万円であったのに対し、コロナで調査件数の少なくなった2021年度では、それぞれ839億円、3767万円と増えています。海外投資については2018年度申告漏れ328億円、同1件当たり3818万円が2021年度では374億円、7841万円に膨らんでいます。また、富裕層以外でも個人の海外投資、インターネットを介したシェアリング・エコノミー等の新分野での経済活動における申告漏れが報告されており2021年度では、海外投資での申告漏れ754億円、ネット取引等278億円となっています。金融取引がますます拡大し複雑になるにつれて、こうした税の申告漏れの追跡調査もそれに比例して難しくなっていることが容易に想像できます。その他相続税の申告漏れが2021年度では2230億円、1件当たり3530万円となっています。

また法人税・法人消費税についての調査状況をみますと2018年度では実地調査件数99件に対し、申告漏れが1兆3813億円、追徴税額1943億円、2021年度では41件、6028億円、1438億円と報告されています。法人消費税の追徴税額は2018年度232億円、2021年度372億円としています。

このような富裕層や個人、企業の行動をみると、時折「保守」政治家がやり玉にあげる生活保護費の不正支給のことが思い出されます。因みに、2018年度における不正受給率は件数で全世帯数の2.3%、不正受給額で生活保護費総額の約0.4%、1件当たり38万円ですが富裕層・海外投資を行う個人の申告漏れ所得は前掲の通り2021年度では1件当たり3800万円から7800万円です。前者の不正の5割は就労を報告していなかった等によるものです。不正受給を弁護するわけではありませんが、政治が注力すべきは、他国に比べて生活保護の低い補足率であり誰しもが健康で文化的な生活をおくることのできる社会の実現であり、一層複雑になる経済活動のもとで法人や富裕層、個人による脱税や租税回避のための対策ではないでしょうか。マイナンバーカードは健康保険証や運転免許証を代替するために考え出されたものではなく、個人が多様な金融商品などの取引によって得た所得を捕捉し公平で適切な徴税を行う一方で適正な社会福祉を実行するためではなかったのでしょうか。前掲書の『つくられた格差』（光文社　エマニュエル・サエズ、ガブリエル・ズックマン、山田美明訳　2020年）は、「トランプのあの一言（2016年クリントンがテレビ討論会でトランプが連邦所得税を一銭も払っていないことを指摘したのに対して、トランプがそれを認め『それは私が賢いからだ』と応答したその一言を指す）は、アメリカ社会が破綻していること、民主社会の最重要制度である税制が機能していない」と述べ「租税回避産業が出現し、所得や財産をわかりにくくした。グローバル化に伴い、新たな抜け穴が生まれ、それを多国籍企業が利用した。過去数十年間の大変化は、市民が情報をもとに合理的選択を行った結果ではない。つまりこの不公平税制は民主主義とは関係ない」と指弾しています。注⑫

先に紹介したロンドン・スクール・オブ・エコノミクスの研究に関与したシンクタンクは何十年も続いた米国のトリクルダウン政策によって下位から90％の人たちの賃金、およそ50兆ドルが上位1％に再分配されたことを明らかにしたとして、評者は富裕層の大規模減税に「規制緩和」と「市場の効率」によって労働者の賃金の抑制、労働運動の弱体化が同時に実現すれば、金持ちにとって最高とコメントしています。

全くその通りのことが日本で起こりました。この国は太平洋の向こう側で起こったことを忠実に後追いしています。

注①：伊藤周平『消費税増税と社会保障改革』（２０２０年　ちくま新書）　Ｐ０９４
注②：大村大次郎『消費税という巨大権益』（ビジネス社　２０１９年）Ｐ20
注③：ロバート・ライシュ　ガーディアン紙２０２２年10月9日ＯＰＩＮＩＯＮから
注④：ガーディアン紙　２０２２年9月25日　オブザーバー紙の論考（Eric Beinhocker and Nick Hanauer）から
注⑤：富岡幸雄『消費税が国を滅ぼす』（文春新書　２０１９年）Ｐ８４～８５　なお、続く「悪魔の仕組み」は同書カバーから。
注⑥：全国商工新聞　２０１８年11月5日付　その他、湖東京至の推計を引用した大村大次郎の前掲著Ｐ82。因みに、国税庁の資料によれば２０１８年度の消費税の申告納税額は16・５兆円（法人 15・９兆円）、還付処理額が４・４兆円、２０２０年度では19・１兆円（法人 18・５兆円）、還付処理額が４・９兆円の割合になっています。
注⑦：大村大次郎　前掲著『消費税という巨大権益』Ｐ65
注⑧：富岡幸雄『税金を払わない巨大企業』（２０１４年　文春新書）Ｐ95～96
注⑨：奥村　宏「法人資本主義とは何か（抄）（１９８４年）リーディングス戦後日本の思想水脈「経済からみた国家と社会」２０１８年　岩波書店所収から。Ｐ１４１。
注⑩：富岡幸雄　前掲著『税金を払わない巨大企業』Ｐ１７６、１８５
注⑪：『日本経済図説 第5版』（宮崎勇、本庄真、田谷禎三　岩波新書）の引用、「１９６５年版経済白書」
注⑫：『つくられた格差』（光文社　エマニュエル・サエズ／ガブリエル・ズックマン著　山田美明訳２０２０年）　不公平税制がうんだ所得の不平等から。Ｐ９～11

第5章

新自由主義と右傾化

◉第1節　教育の場で

1999年に『なぜ日本は没落するか』を書いた森嶋通夫は、その著作に「精神の荒廃」の章を設け日本経済は政官財の3界が「鉄の結束」を固めることによって全経済をリードしてきたが、その「鉄の三角形」の頂点にいた官界が職業倫理を失って日本経済が間違った方向に走り出したと言います。また戦後の大学教育におけるエリート主義の欠如と職業倫理の頽廃・崩壊を論じながら、次のように続けます。

「道徳の頽廃は思想的危機である。こういう状態の時には宗教家は蠢動し始めるだろう。彼らは政治家の代替物であり、現実の日本の政治家よりも、もっと政治家的である宗教家はいる。……非宗教的な宗教としてオウム真理教のようなものが現われ、猛威をふるうならば事態は危険である」とし、さらにこのような事態が生じると左傾化、右傾化の運動、とくに右傾化に対して「充分な警戒をする必要」を喚起しています。「全国紙の大新聞社や大出版社の中にも一貫して中道左派的な思想を嫌う論陣を張るものが存在するからである」として戦後今まで守り続けた中道的思想が、現在の金融・経済危機の中で、消え去ってしまうならば、そのこと自体が日本没落の顕著な傾向であり、日本の格付けを下げるといわなければな

らない」[注①]

「政官財」が海の向こう側からやってきた新自由主義に屈服し、一体になって1億2千万人の生活をどうするかという基本的問題、国民経済を置き去りにして「市場」を優先し、企業と一握りのエリートと富裕層が多数者の富を吸い上げる経済体制をつくりあげました。株主の代理として、株主と自分の安全と利得の最大化のみを目的にするホモエコノミクスの行動から格差をつくりだす大企業・富裕層向けの減税まで、「道徳の荒廃」はこの国をたちまち蓋いつくしたのです。また「政治家よりも、もっと政治家的な宗教家」が政治家の背後に存在して、この国を操り社会を荒廃させていきました。その宗教家と政治家を結びつけたのが、森嶋が充分な警戒をする必要があるとした右傾化でした。そのことが露わになったのが安倍政権時代の森友事件であり、安倍銃撃事件でした。前者が日本会議、後者が統一教会とそれぞれ政治との癒着を白日の下にさらしたのですが、政権党とこれら団体との関係がはるか以前に遡るにもかかわらず、それが明らかにされてこなかった背景には「中道左派的な思想を嫌う」大新聞、メディアの存在があったことは想像にかたくないでしょう。

その政治家と宗教家が結びついた右傾化の運動が襲撃の的にして新自由主義と合流する格好の場所が教育の場でした。それは80年代に中曽根が「行財政改革」の名で労働組合潰しを狙った国鉄解体を踏み台に政権のトップへの野望を実現していく過程でもありました。鈴木内閣当時、行政官庁長官だった中曽根に対し共産党の安武洋子が行った国会質問（内閣委員会議事録第11号1982年5月13日参議院）の中にそのことを具体的に確認することができます。安武が引用した中曽根のある大会（同議事録では当時の生長の家の相愛会男子全国大会とありまず）での挨拶の内容はこうです。「まず行政改革を断行して成功しよう。……この大きな仕事が失敗したならば、教育の改革もできなくなる。防衛の問題もダメになります。いわんや憲法をつくる力はダメになってしまうのです」「従って、行政改革でお座敷をきれいにして、そして立派な憲法を安置する、それが我々のコースであると考えておるのであります」と。

「お座敷をきれいにするわれわれのコース」は「行政改革」であり「教育の改革」「防衛の問題」そして「立派な憲法を安置する」というものでした。それが「戦後政治の総決算で、敗戦の結果失われた良きものを取り返し、日本の本来の扉を開く」ことであり、彼の政治生活、ライフワークだといいます。行政改革は旧国鉄の解体、民営化を通して国労・総評そして社会党を潰して反対勢力を弱体化・無力化することでした。教育の改革は、前川レポートの経構研と同時期に設けられた臨時教育審議会（臨教審）または教育臨調で第一次答申「我が国の伝統文化、日本人としての自覚」第二次答申「初任者研修制度の確立、現職研修の体系化」第三次答申「教科書検定制度の強化、大学教員の任期制」第四次答申「個性尊重、生涯学習、変化への対応」が出されています。その教育臨調には旧国鉄民営化の土光臨調メンバーであった瀬島龍三とともに屋山太郎が選ばれます。

これに対し教育学者の小林昭三の「教育臨調はどれほど日本の教育を荒廃させるか[注②]」では「国鉄・電電の民営化のねらいと教育の民営化のねらいは……完全に一致」「解釈改悪憲法から憲法改悪の道と同じ歩みが教育の世界で動きはじめた」「教育関係予算は、ますます低く押さえこまれ、臨調行革による攻撃にさらされている」と批判しています。同時にその「臨調方式」、臨調という国民的舞台装置をつくって「役者」を登場させ、マスコミを大動員し世論誘導をはかるやり方についても言及しています。「自由化論争」を掲げる第一部会、それに抗して「初任者研修制度」や「教職適正審議会」を掲げる第三部会などの「役者」が世間を引きつける大立ち回りを演じてマスコミを引きつけ、教育の場への政治の侵略が右派政治家と周囲の学者・言論人によって進められていったというのです。小林昭三によれば、瀬島龍三は教育臨調において策略参謀長であったと述べ、その作戦「2年の任期中に小刻みに審議経過、中間報告、答申などを次々と出し、その都度、新聞やテレビ等に、いかにマスコミを大動員し、世論誘導をはかったか。国民的関心を引くニセのスローガンをいかにうまく示したか、いわく『増税なき財政再建』……」を瀬島が「新国策　83年4月15日」で詳細に語っているとしています。

一方、中曽根自身はその著作『自省録』で自らの政権時代に教育基本法の改正、教育改革を実現できなかったことをもって「教育改革に失敗」と振り返っていますが、彼の教育に対する思いとは何だったのでしょうか。彼は「平気で凶悪な殺人事件を起こす少年、警察官や裁判官の汚職」など一連の事件は、戦後を貫いている倫理・道徳が堕落してきたからで、それは「平和とか人権、人格、民主主義」がちりばめられた「世界的にみて類例がないほどいいことづくめが書いてある」が、「自分の国の伝統とか文化、共同体、国とか国家、責任義務、そうした縦を貫く背骨をほとんど持っていない」教育基本法と、それに染め抜かれた文部省の役人がいて教育の体系を支配しているからだと言い、自身の教育論を語ります。曰く「今なお新鮮な『修身』の教科書教育改革においていちばん大変なのは、教育基本法の改正だけではありません。……子どもには、学校の各段階に応じてどういう教育を目指していくかを明確にしておくことも必要です。小学生なら、ディシプリンと日常生活を送る心構え……家庭や社会のなかの行儀の基本の型」「中学生になると、社会や国家と個人の関係というものが非常に大切」「高校生にもなると『志』というものを持たせる」「大学生には『使命感』というものを与え……端的にいうなら、各段階における涵養すべき精神軸、教育の目標点……これらを教師もしっかり体得しなくてはならないし……出来の悪い教師のお説教などに百万言を費やすより、(修身の教科書に盛られた)優れた偉人のエピソードのほうが楽しくて遥かに教育効果がある[注③]」

中曽根の「教育の改革」の一念、教育基本法の改定は第1次安倍政権の下で2006年によって実現しますが、教育臨調が敷いた民営化、新自由主義路線は第1章にみたように子どもたちを危機に追いこむ状況をつくりだしたのではないでしょうか。宇沢弘文は『社会的共通資本』（岩波新書 2000年）において、「20世紀末まさに世界が世紀末という表現があてはまる状況に置かれているなかでも、日本の世紀末的混乱と混迷がとりわけ深刻で、学校教育の分野がそれを象徴している」と、その本の序章で迫ります。いじめ、不登校や子どもを巻き込んだ陰惨な事件を指摘しながら、これらは「学校教育の表層的な病理学的症候」であって、その深層はより深刻だとし、「学校教育を、社会的な共通資本として社会にとってもっとも大切なものと考えないで、市場的基準を無批判に適用して競争原理を導入したり、あるいは国旗・国歌を法制化し、教育勅語の精神を復活させ、官僚的基準に従って学校教育を管理しようとする一部の政治家たちの考え方がこのような悲惨な状況を生み出した」と指摘します。[注④] 世界的経済学者でありながら、一方で児童生徒向けの「好きになる数学入門」シリーズを著した宇沢の主張からは、単なる批判を通り越した怒りが伝わってきます。

宇沢の本が出版された直後の2001年に10～19歳の自殺者数・自殺率が586人、4・3人であったものがコロナ前の2019年には659人、5・9人に、不登校は同じく13・8万人が18・1万人に、虐待相談は2020年度に20万件を超え警察から児童相談所への虐待通告は2021年20・8万件と最多を記録したとしています。政治家たちもこの事実を否定することはできません。しかし保守、右派政治家とその背後の宗教家、周辺の人間は「市場的基準、競争原理の導入」や「官僚的基準による学校教育の管理」が現在の惨状を生んだ、とは認めることはありません。子どもの惨状、ひとり親家庭の問題、歴史教育や道徳教育が十分には自分たちの思うようになっておらず、旧教育基本法のもとでそうした教育を受けずに教員になった教師たちが、進歩的な、つまりは左翼的な思想の下で教育しているからで、すべては現在の日本国憲法の所為、「お座敷をきれいにする」ことができていないからだ、と主張し、その非論理性を蔽い隠すために「自己責任」論を持ち出すのかもしれません。

彼等の考えの中心をしめるのは、多様でかけがえのない「生」を送る「個人」と、その個人が人間らしく生きていくための公正な「社会」の存在ではなく、「権力」や「権威」に忠誠を示し服従すべき対象としての「国家」や「伝統」であり、その媒介として「家庭」や「家族」が引き出されるのです。2022年2月22日の東京新聞の特報記事「こども基本法　保守派横やり」等で30年近くも前に批准したこどもの権利条約の国内法整備がいまだ「マルクス主義の巣窟」「左派の考え方、誤った子ども中心主義だ」とかの保守派の声に阻まれて進まない現状をルポしています。この国の一部では反対意見を言う者は勿論、それが「中道」であろうと「保守」であろうと「基本的人権」を主張する「進歩的」「良心的」意見は一括りに

「左派、反日」として排除されるようです。しかし宇沢が指摘したように教育の場を新自由主義に明け渡した弊害は、人権軽視の反動的な偏見と結びついて至る所でこの国を袋小路に追い込んでいるようです。その惨状を拾ってみます。

(1) 保育等を巡って　市場化とは?

2022年5月30日付けの東京新聞で全国主要都市の認可保育所・施設で空きが3年で11・5倍になった、という報道がされました。小泉政権下で「待機児童ゼロ」を目標に多様な受け皿を設けたこともあり、待機児童数の近年のピークは2017年度以降年々減って2021年は過去最少になったとしています。他方、『世界』2022年7月号では小林美希「保育で儲ける企業」のルポが掲載されています。ルポで取り上げられている6社は保育園の経営以外の事業を営んでいますが、これらの企業における配当の正当性(大株主であり実質オーナーである経営者へ多額の配当金が還元される)とその原資が不透明なことが指摘されています。国、都道府県・市町村の地方自治体からの税金と保護者が支払う保育料からなる委託費から直接配当に回してはいけない、とされているからです。また記事では、地域ごとに公費から出る賃金額と実際の賃金が例えば東京23区では公定価格442万円に対し、平均実績で389万円と差があること等が指摘されています。前掲『世界』で取り上げられた6社の売上高・純資産と対売上高税引後純利益率の推移、および法人企業統計調査から教育・学習支援業の企業数・売上高・従業員の年収を、資本金規模10億円以上と同1０００万円未満に分けてデータを拾っていくと次のことが分かります。

（1）6社には保育事業以外の介護などの事業を運営している企業もありますが、合計でみると3年間の間に純資産を2・3倍に増やしています。また純利益を売上高で除した対売上高純利益率（NPR）でみて3・1％から4・1％と高い利益率をあげており効率のよい事業領域になっています。

（2）２０２０年度の配当金は配当を実施した4社合計18億円、或る社のオーナーには自身の資産運用会社と合わせて4億円以上の配当金が還元されています。

（3）他方、教育・学習支援業全体でみてみると、資本金10億円以上の大手企業と1千万円未満の小企業では、２０１7年を境に様相が異なります。これは先にあげた保育の空きの増加を裏書きしているようでもありますが小規模の企業が企業数に反比例して売上高を減らしたのに対し、大手の売上高は変わりなく２０１9年度は寧ろ大きく増やしています。また常雇いの割合が大きい大手と短時間労働の割合が大きいと思われる小企業との差、売上高や市場にリンクして変動する従業員給与の実態がみてとれます。本来「公共性」の高い事業でも市場化が進んでいます。

先の保育のルポに戻ると、「古くからある社会福祉法人では最低基準より1・7～2倍の人員体制」をとるのに対し「株式会社では人件費をかけていないケースが目立つ」「保育士の入れ替わりが激しいため保育がなってない」などの量・質での問題が指摘されています。とくに2018年度以降の給与が100万円台であることが目をひくと思います。このことは業務の多くが常勤の従業員ではなくパートの職員で賄われていることを表わしているのではないか、そしてそのことが職員のストレスとも、あるいは園児の車中置き去りによる不幸な死亡事故や虐待事件の遠因にもなっていないか危ぶまれます。一方で保育6社の1社が保育士の水増し請求で補助金の不正受給を行ったことが報じられました。因みに東京新聞2021年12月28日付けによると、全国社会福祉協議会の調査では、保育所の質の確保のために実施が努力義務とされている第三者評価を受けたのは2020年度、全国でわずか1570ヶ所、6・6%だったとし、さらに同紙は2022年の「視点」においても不正受給問題を取り上げ「国や都は保育の『量』の増加を優先……利益を追求する事業者も参入した」とし、「保育の『質』を担保する監督の強化や、不正が起きない制度への改善に本腰を入れる時だ。」と結んでいます。

(Ⅱ)小中学校教育、「ええかげんにせえ!」

大阪の小学校の校長が市長宛に「提言」を出したことを受けて、2021年5月の東京新聞のコラムで前川喜平は、その批判を紹介しています。校長は、オンライン授業が保護者や児童生徒に与えている大きな負担を訴え、「学校はグローバル経済を支える人材という『商品』を作り出す工場と化している」「評価のための評価や効果検証のための報告書・アンケート、全国学力・学習状況調査も学力経年調査もその結果を分析した膨大な資料も必要ない」「目標管理シートによる人事評価制度も、教職員のやる気を喚起し、教育を活性化するものとしては機能していない」と指摘して、前川はこの校長の提言が日本の教育行政全体に向けられたものだと言います。この問題は校長の提言に賛同した教職員や市民たちの意見書、また東京新聞によると「教育と愛国」の映画や書籍化につながっているようですが、その映画に登場するのは、授業で慰安婦問題をとりあげた公立中学校教諭へのバッシングを誘引することにもなる記者会見を行った大阪市長、慰安婦を含むジェンダー研究を行う大学教授を中傷する自民党の女性国会議員、そして「歴史からは学ぶことはない」と言い「ちゃんとした」とは「左翼でないこと」という東大名誉教授の歴史学者の姿です。また「大阪の教育改革とは何だったのか」を著した同紙のルポからは、国歌の起立斉唱を義務づける条例・教育振興基本計画の策定に首長が関与できる条例、全国学力テストの点数の公開や教員にテストの平均点など数値目標を設定させるなどの教員への競争の強制などを推し進めた、維新の会の政策に焦点をあて、「政治圧力・成果主義への危機感」と教育現場の悲鳴を拾っています。政治圧力は、教育基本法改悪から始まって、戦後歴史学を否定し歴史修正主義を主張する学者による「新しい歴史教科書をつくる会」、「教科書再生機構」など教科書採択過程への介入・圧力、その他の右派系政治家・組織や個人による教員、学者への中傷、攻撃や右翼団体の暴力的示威活動まで広範に教育の場に及ぶなかで、第2章でみた従来の年功序列に代わって企業・職場に進出した能力主義・業績評価主義が「管理」からやがて教員を「監視」し「選別」する道具として使われることが容易に想像できます。そのことが教育現場に悲鳴をあげさせ、小中学校の3割強で教員不足事態を起こさせ、教員志望者の減少の事態を生じさせるのも当然ではないでしょうか。それで一番の被害を受けるのは、未来を背負う子どもたちです。

片山義博は『世界』2022年7月号で「教師不足を改善しない関係機関の無責任」と題して、「文科省が発表した小中学校の教員不足数、2086人教員不足数（文科省の全国実態調査によれば、小中学校の各1218人、868人に高校が217人、特別支援学校が255人合計2558人　不足が生じた学校数は全体で1897校、5・8％としています）が必ずしも真実を反映していない（発表よりもっと多い）」のではないかという現場教師の声を紹介しながら、非正規教員が多数配置されていること、本来は産休や育休代替以外は正規教員が配置される仕組みがそうならず、臨時任用教員が代用されていると指摘しています。国が標準的に必要となる教員数にあわせて財源措置をしているのに対して、少なからぬ数の都道府県教育委員会が財源を浮かすため非正規教員で置きかえていることが教師不足の最大の要因だとし、また教員が超多忙に喘いでいるなら労働環境に責任を持つべき市町村教育委員会がその問題解決、学校現場のブラック化の解消に乗り出さなくてはならない、とも追及しています。

また東京新聞の記事では、「公立小中　教員疲弊」として公立小中学校教員の勤務状況が過酷になっていること、教職員の半数が勤務中の休憩時間がゼロでその背景にデジタル化対応などの業務の拡大、非正規教職員の割合の増加（07年に公立小中、義務教育学校の教職員に占める割合が9・4％だったのが、21年には17・5％、6人に1人が非正規）があること、また精神疾患で休職する教職員が公立高校や校長・教頭等も含めると「90年代は1000人台だったが08年以降は5000人前後で高止まり。全体の0・5％に当る」ことをレポートしています。さらに同紙の2022年11月の記事では、NPO法人の「プロテクトチルドレン」が小中高と特別支援学校の教員を対象にしたアンケートで、ストレスを感じる業務として「保護者・PTA対応」が事務についで2番目にあがり、3番目の「不登校・いじめ等の対応」でいずれも4割を超えるとしています。1番目が報告などの事務、4、5番目に持ち帰り業務、部活動となっています。1番の事務や持ち帰り業務・部活動などから、次項の大学でみられる中央集権化によるブルシットな仕事がここでも先生を苦しめている現状を目の当たりにするようです。

(Ⅲ) 大学の非常勤教師の雇い止め、教育の管理

国立大学や公的研究機関に勤める有期雇用の研究者の大量雇い止めが問題化している、とする記事が２０２２年5月22日の東京新聞「こちら特報部」に掲載されました。２０１３年に施行された労働契約法の改正で同じ勤務先での有期雇用の契約が通算で5年を超えた場合に労働者が望めば無期雇用に転換できるルールとしたものを、研究者については特例の10年に設定したその期限が来年の3月に予定され、国立大学で１６７２人、文科省所管の研究機関で６５７人が対象になるといいます。また国立大学の附属小中学校で教員の残業代が支払われなかったり、私立大学でも非常勤の教員のオンライン教材作成にかかった時間の賃金の不払いが発生したりしたことが２０２２年になって報じられました。非常勤教師について、前川喜平は、「日本の大学教育が彼等彼女らで支えられていると言っても過言ではなく、その平均年収は３００万円程度」と指摘しながら、その元凶は大学の新設をどんどん認め定員割れした大学が人件費を抑えようとする結果を招いた国の高等教育政策にあり、何より国立大学法人運営費交付金や私立大学経常費補助金が減らされてきたことが問題だとしています。

予算がカットされる一方で、宇沢が指摘した「官僚的基準による教育の管理」はどうでしょうか。酒井隆史の『ブルシット・ジョブの謎』はデヴィット・グレーバーの「ブルシット・ジョブ」の翻訳者による手引きとして書かれた本ですが、そこでシラバスの作成例と試験問題の作成例が出てきます。注⑤前者のシラバスは著者によれば「1980年代からはじまるネオリベラリズム改革の教育分野におけるひとつの帰結」である1991年の大学設置基準の「大綱化」からはじまったそうです。そのシラバスの作成手順を旧来型の大学と〝先端的経営〟をうたう「経営管理型」大学について図示していますが、抜粋すると前者では大学職員が教員に「大学の方針をシラバスに記載して欲しい」の一つの手順ですむものが、後者では大学職員に主任監督者（大学管理者）が加わり、作成依頼から承認まで8つの手順が示されています。試験問題の作成例でも、旧来の「非経営管理型」の大学では教員からチューター（ティーチング・アシスタント）に試験問題の印刷の依頼と、印刷が完了した旨の報告の2手順で済むのに対し後者では教員と大学職員の他に経理責任者と試験本部が加わり教員への（問題冊子表紙の注意事項についての要請）から始まって試験本部の報告まで12の手順が必要になります。酒井は官僚的な手続きが肥大化しそれに付随して不条理なまでの意味の分からない「雑務」と、さらにその増殖した仕事などを請け負う新しいポストが生まれたと述べ「こうした『合理化の不条理』はかねてよりカフカ的現象、つまり肥大した官僚制特有の不条理といわれた」ものだが「官僚制的不条理はむしろ、現代こそ本当に恐るべきものになって、わたしたちの生活のすみずみにまで拡散していっている」と指摘します。この官僚制不条理は、能力主義・業績評価主義を採用した一般企業の職場から小中学校での教育の場まで及んで、本来「公平に」評価し数量化することが不可能なものを評価・数量化するために能力・業績評価という錦の御旗の下でブルシットな仕事を増やしています。さらに、この官僚制不条理の病理は、政官と緊密なコネクションをもつ企業がコロナ支援金給付関連の業務の丸投げに係わって大きな利益をあげる縁故資本主義からコロナ支援金の不正給付への公務員の関与まで社会を蝕みつつ広がっています。

(Ⅳ) 教育への公的支出・教育費負担

ここでは政治圧力と官僚的支配が教育の場で権力をふるう一方で、教育・学問への公的支出、家計の教育費の負担、教育産業・大学の法人化の実態を検証してみます。

日本の教育への公的支出対GDP比はOECD諸国の平均3・3％を1％近く下回る2・5％で、韓国、イタリアよりも下位です。また「こども家庭庁」創設の基本方針を報じた東京新聞記事（2021年12月22日）では日本のこども関連予算が低いこと、家族関係社会支出の対GDP比は2018年度1・65％と英国やスウェーデンの半分程度だとしています。また一般歳出に占める文科省予算の比率と大学への助成（国立大学運営費交付金と私立大学等経常費補助金）の推移をみますと、２００４年度の一般歳出予算47・６兆円に対し文科省予算は６・１兆円、12・７％、助成金１・６兆円であったのに対し２０２０年度ではそれぞれ61・７兆円、５・３兆円、８・６％、助成金１・４兆円になっています。国立大学交付金・私立大学等経常費補助金も10年で合わせて２千億円減っています。

他方、家計にしめる教育費、その中でも塾代など補修教育の費用はどうでしょうか。２０２３年５月23日付の東京新聞によれば、総務省の２０２２年の家計調査では「22年の世帯年収別（２人以上の世帯）の教育支出は、年収２００万以上５５０万円未満の世帯で学習塾などの『補習教育』が19年比軒並み減少した。一方年収１２５０万円以上１５００万円未満では60％も増え、年収１５００万円以上は44％伸びた」と報じています。進路を大学から就職に変更する高校生も少なくないとも述べていますが、コロナが追い打ちをかけた経済格差が教育格差を生み、それが次代に経済格差を持ちこしていきます。また習い事の体験学習も減ったこと、それがやる気や自己肯定感といった学力以外の「非認知能力」に影響することへの懸念も併せて報じています。

大学までの教育費がどれだけかかるか、２０２１年10月26日付の東京新聞が「日本経済の現在値」で文部科学省、日本政策金融公庫の調査報告をもとに計算結果を記事にしています。

それによると全て私立の場合は2533万円、すべて国公立では1078万円としています。これらは塾や習い事の費用を含んだものです。

大学の授業料と平均年収を過去に遡って調べてみると、筆者が大学に入学した1970年の大学授業料は、国立大学が1万2000円、私立が7万6400円、資本金10億円以上の企業の従業員の平均年収は115万円、資本金1億円未満では65万円でした。それが2016年には大学授業料は、国立53万5800円、私立75万1000円、平均年収は577万円、304万円ですから1970年度では国立大学の授業料の平均年収に対する負担割合は、1%～2%、私立大学でも7%～12%だったものが、2016年では9%、18%、私立大学では13%、25%になっています。またこの間、平均年収は5倍程度になったのに対し、授業料は私立で10倍、国立でなんと45倍になっています。親の負担がこの40数年の間に大きく変わったことが分かります。当然、親の援助の余裕も少なくなり学資・生活費を稼ぐために時間が割かれ、さらにコロナ禍でアルバイト先に困り、学業を放棄せざるを得なかった学生も少なからずいたのではないでしょうか。

（V）大学の企業化

大学の法人企業化のひとつの例ですが、ある大学のHPでは資産負債のリストラクチャリングを行いコスト削減の効果によって資本が蓄積され運用資産（現金と金銭信託等の有価証券の合計）は900億円になったとしています。成程、公開された財務諸表をみると、例えば2017年度末の純資産3109億円、運用資産540億円は、2021年度末ではそれぞれ3423億円、876億円になっています。しかし教員人件費をみると一人当たり平均人件費は2017年度末600万、2020年度末610万円と横ばいです。これは前掲の前川喜平のコメントにあるように「平均年収が300万円で非常勤の教員が過半数を超え教育・学問を支えている」ことにあるのでしょうが、最も重要な資本の「ひと」が置いてきぼり。論文の引用数で中国、韓国にも引けをとる等、日本の高等教育・研究の現状とその背景を現場の当事者たちは知悉し憂慮しているはずです。

宇沢は先に引用した『社会的共通資本』とは別の著作『二十世紀を超えて』（1993年 岩波書店）のなかで「大学の大衆化、平準化が急速に進み……かっては（学問研究と学生教育の二面で）プライマシーとしての役割を果たしてきた大学も、法人資本主義体制が必要とする若者をつくりだすという、単純な知的・技術的労働を生産する工場の一種となってしまったという面すらみられる。」と言い、ソースティン・ヴェブレンが自らの問いに答えた「大学に市場経済的な利潤原理を導入し、大学の経営を効率的なものにしたとき……法人資本主義のもつ陰鬱な、抑圧的なヒエラルキー体制が持ち込まれて大学が産業革命時代の工場のような様相を呈することになるという悲観主義的な」結論を紹介しています。学術会議への政治の

グラフ11　大学数と同建物面積の推移と15/19歳人口、大学在学者数の推移

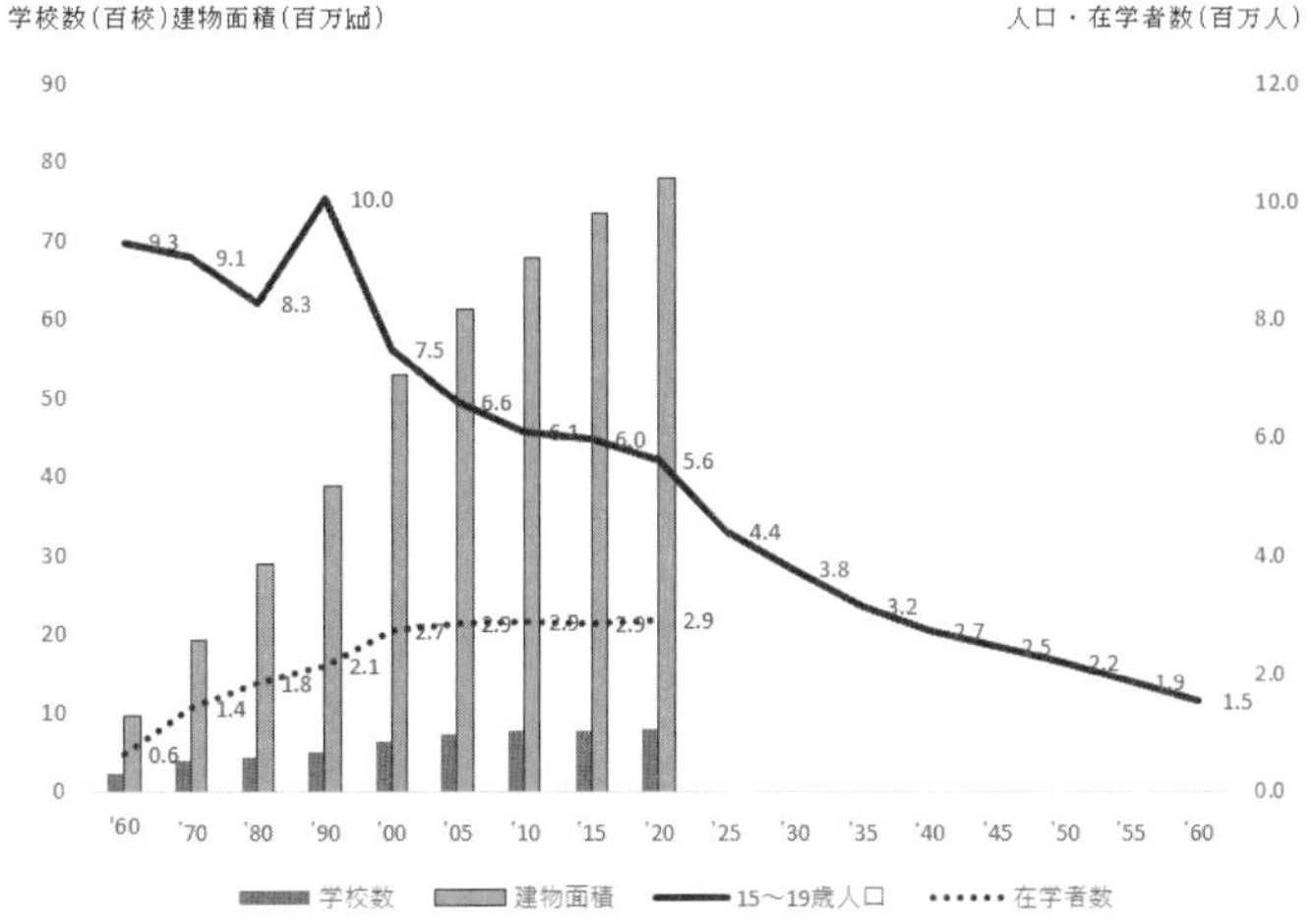

文部科学白書2020、総務省国勢調査および国立社会保障・人口問題研究所
「日本の将来推計人口（平成24年1月推計）」（出生・死亡とも中位仮定）

介入とあわせて、この「抑圧的なヒエラルキー体制」が大学内にとどまらず教育を、そして日本全体の空を暗雲のように蓋っているのではと思います。

（Ⅵ）少子化

グラフ11は大学数・同建物面積、在学生の数、と15〜19歳の人口の推移・将来人口を10年ごとに比較してみたものです。

このグラフからは、80年代に大学進学を控えた増加する15〜19歳の年齢階級の受け皿として大学が新設認可され、1980年度から年度までの2000年間の間に203校　46％増えています。当然、大学数の増加は施設の増加を伴い、この間に既存大学の郊外への増築移転などを

伴ったことから建物面積は83％増えています。宮本の言う過剰な資本のはけ口が教育産業にも及び、ハコモノへの投資として内需促進と呼応して建築需要を呼び込んだでしょう。そこに政治との癒着や利権の構造はなかったと言い切れるでしょうか。90年代以降、この年齢階級の人口は急速に縮小していきます。それを補ったのは進学率の増加とくに女性の進学率が年々高くなっていきましたがそれも２０００年代まででした。その間、都内に校舎を構えていた大学が競って郊外に新校舎を建設し、将来減少することが見込まれる進学者を呼び込もうとすることが一種の流行になりましたが、その建設・移転費用はどうしたのでしょう。ローンを組み、その返済を賄うために教職員の人件費を抑え授業料を上げた構図が透けてみえます。それが教職員のプライドと教育・学問への情熱を削ぎ、学生にとっては経済的なハードルがあがることを意味するのは分かっていても、市場原理主義で目が眩むと教育や学問を目指す若者は、外見の整ったモールに集まる大衆消費者に過ぎず、他大学と競っていかに関心を引いて多くの学生を集めるかしか脳裏に浮かばなかったのでしょうか。

次のグラフ12は前のグラフ同様に19歳以下の年齢階級の人口と大学以外の学校教育施設の学校数や面積の推移を比較したものです。80年代から19歳以下人口の縮小が始まり、在校生は１９８０年度から２０００年度の間に小学校・中学校で、それぞれ５５０万人、１８０万人、率にして47％、37％減っています。これに高校生を加えると在校生の減少数は８９０

グラフ12　大学を除く学校施設の校数・建物面積の推移と19歳人口、在学者数の推移

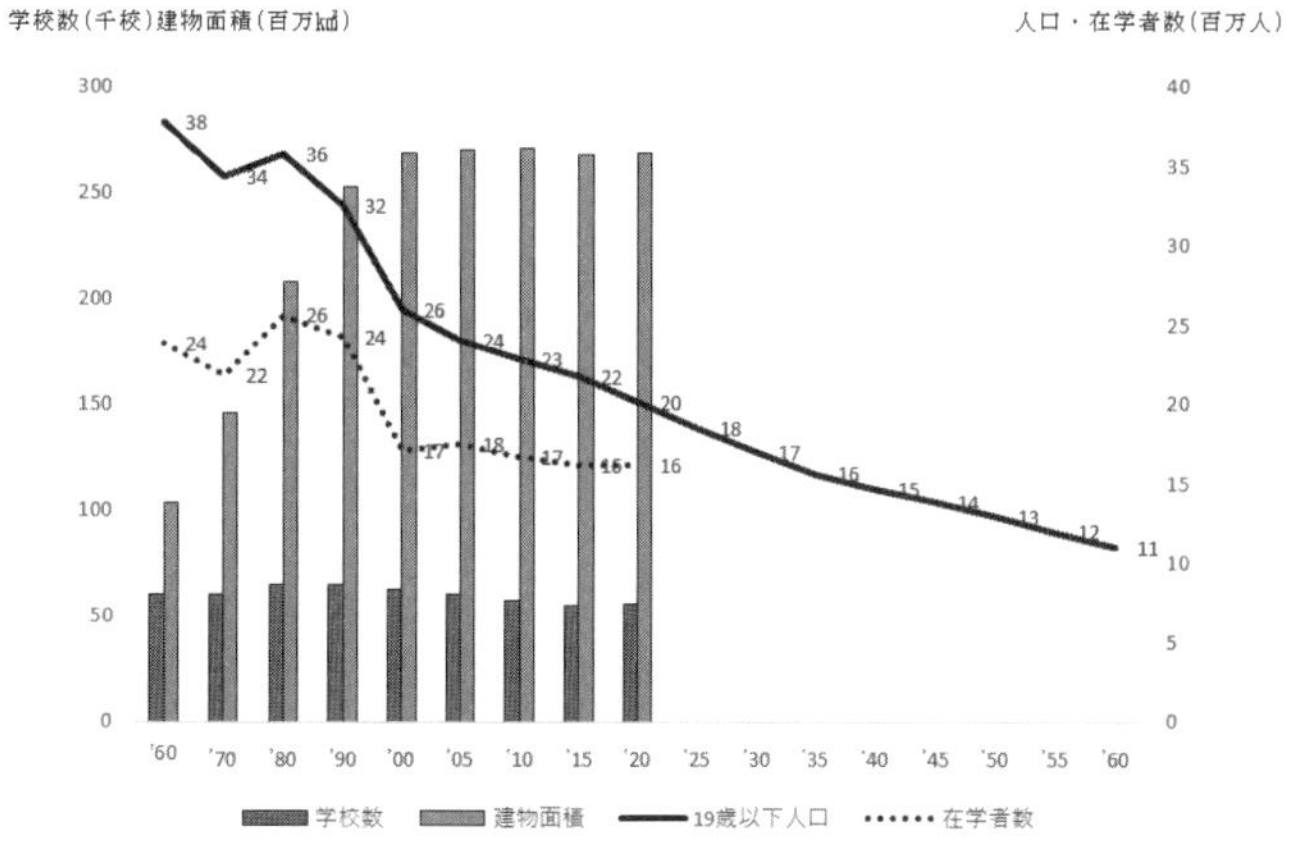

文部科学白書2020、総務省国勢調査および国立社会保障・人口問題研究所
「日本の将来推計人口（平成24年1月推計）」（出生・死亡とも中位仮定）

万人にのぼります。この急速な減少によって地方は勿論、大都市圏およびその周辺でも学校の統廃合がすすみ、同期間の学校数の減少は小学校・中学校・高校それぞれ５４２０校、６３８校、３３４校に及んでいます。人口の減少・税収の減等財政難の地方では、廃校になった学校の建物を解体する予算の余裕はなく、何とか有効利用を図れる自治体は別として、大半は最低限の維持費用を何とか捻出するのが精一杯ではないでしょうか。全国で１０００万戸を数えようとする空家問題、シャッター通りからゴーストタウンに姿を変えた旧市街の商店街に加えて、今後も増え続ける廃校の後始末が中小都市の自治体と住民に一層降りかかってくるのは間違いないことです。残った校舎、学校というかつての教育

の場が自由で生き生きとした空間として生まれ変わることができれば救われるでしょうが、それを国に期待することはできません。住民の知恵と行動によるしか仮死した空間を蘇らすのは難しいのではないでしょうか。それにしても80年代から90年代の建物面積の増加は、果たして何が目的だったのでしょう。

宮本憲一は「医療・保健・保育・老人対策・教育などの社会サービスのカットとその一部の民間委譲は、過剰資本のはけ口と新しいサービス業・不動産業や金融業の投資先をつくり出した。１９８７～88年の日本の内需拡大による日本の好況、それに先立つ英米の景気回復はそれをあらわしている」と分析しています。注⑥ 先に述べたように小中学校の３割で教師が不足し教師志望者が減少する事態が発生しても関係機関は無責任のまま非正規雇用で対応するほか無策です。その新自由主義の先行者の英国では、教師の４人に１人が3年以内に離職し、過重労働と賃金の改善を求めるストライキが発生しています。

前川喜平は東京新聞のコラムで「教科書への政府見解を求めた検定基準や教員への首長の発言力を強めた法改正」当時、担当の局長だった自らの責任を告白する一方、教科書採択に「政治家がタッチしてはいけないのかといえばそんなことはないですよ。あたりまえじゃないですか。」の安倍発言に「政治家はタッチしないのが当たり前なのだ」といい、さらに別の日のコラムで自民党の「憲法に『教育環境の整備』にとどまらず教育理念を憲法に書き込む」

という発言に対しても次のように発言しています。「日本の教育理念はすでにある。それはいまの憲法そのものだ。個人の尊厳、自由、平等、人権の尊重、平和主義、国民主権。それら以外の「教育理念」など要らない」注⑦と。当り前である。

教育の問題は環境問題・気候危機がそうであるように右派とか左派とかイデオロギーの問題ではありません。学生時代を大学の教室とは殆ど無縁で過ごした私に教育を云々する資格も力もありませんが、「教育」とは「環境」同様に私たちが未来の世代に負っている義務です。教育・学問の自由を圧殺した挙句にこの国を亡ぼした過去の轍をいま再び踏まないように、そして「気候危機」と同じようにティッピング・ポイントを超えないうちに、前川喜平の言う日本国憲法の教育の理念を守る義務があると考えます。

注①：森嶋通夫『なぜ日本は没落するか』（１９９９年岩波書店より刊行。２０１０年岩波現代文庫に収録されたものから引用。Ｐ34、35、37。

注②：小林昭三（新潟大学教育学部教授）「教育臨調はどれほど日本の教育を荒廃させるか」（インターネットから。特集臨教審と子ども・親）その他に鈴木祥蔵（関西大学教授）の「教育臨調と解放教育」（１９８４年7月）を参照しました。

注③：中曽根康弘『自省録』（２００４年　新潮社）Ｐ１９６〜１９７、Ｐ２０１〜２０２

注④：宇沢弘文『社会的共通資本』（２０００年　岩波書店）「序章　ゆたかな社会とは」Ｐ７〜８

注⑤：酒井隆史『ブルシット・ジョブの謎　クソどうでもいい仕事はなぜ増えるか』（２０２１年　講談社現代新書）Ｐ１４６〜１５６

注⑥：宮本憲一『環境経済学』（１９８９年　岩波書店）Ｐ１３

注⑦：前川喜平　東京新聞コラム　２０１９年5月29日より。

◉第２節　翼をひろげる右傾化、「チーム葛西」と「チーム安倍」

旧国鉄解体、民営化において国鉄内部で「改革派三人組」として物語の主役を務めたのが、井手正敬、松田昌士、葛西敬之です。改革派は明治維新の下級武士に擬せられたようですが、勿論彼等は「下級武士」どころかエリート中のエリートです。維新の志士が明治政府の中で権力を握っていくのと同じく各人とも本州3社の社長・会長を務め長期にわたって会社の最高権力者として君臨します。とりわけ葛西敬之は取締役を退いた後もＪＲ東海の「天皇」名誉会長として留まり、30年もの長期にわたって会社に君臨したほか、数々の公職をつとめ、亡くなる直前まで内閣府の宇宙政策委員会の委員長を務めていました。

その葛西敬之の生前、斎藤貴男が『世界』に掲載した「権謀の人」からその活動の軌跡を追ってみます。注① 斎藤はその冒頭で葛西が書いた2つのシナリオを呈示し「どちらも私たちの社会のあり方を大きく変貌させてしまった可能性があり、今後の対応次第では未来にも計り知れない禍根を残しかねない危険を孕んでいる」と警告します。

最初のシナリオは、専門委員会の委員長として葛西がとりまとめ2004年に「日本経済調査協議会」（1962年に経団連等経済4団体の協賛で設立）が公表した「憲法問題を解く」の報告書をあげています。斎藤によれば、その報告書は財界が憲法改正を求める提言を打ち出すようになったなかで「憲法を見直すべきだとする結論は変わらない」が「国家統治の根本問題を解決に導く方向性を示すことを目指したという」もので、衆議院の過半数の支持を集めた人が総理に選出され、任意に国務大臣を罷免できる権限を有し、最高裁判所等の人事権も内閣に委ねられているのだから、内閣総理大臣はかなりの程度立法・司法・行政をコントロールし、自らの望む方向に政治を指導することが原理上では可能であることになっている、というロジックが展開されているといいます。まさに三権分立の全否定であり、「まともな組織や機関がここまであけすけな『独裁の勧め』を公にすることは尋常ではない」と評しています。しかしながら、この報告書が安倍政治に内閣法制局長官の首をすげ替えさせ集団的自衛権に関する従来からの憲法解釈の変更から「安全保障法制」へ道を開き、「私は立法権の長」とか「私が国家です。」の妄言を引き出す根拠になったと考えられます。（さらにこの考えは現政権まで引き継がれ、重要な政策が国会を無視して閣議決定で決められることにつながっています）

斎藤が取り上げた日本経済調査協議会が２００４年に公表した「憲法問題を解く」の報告書は同協議会のＨＰから入手することはできませんが、同じ「憲法問題を解く」の表題の下に２０１４年３月の調査報告書「日本の再設計を先導するリーダーの育成」が収められています。葛西を委員長として設置された委員会での議論をふまえ取り纏められたとしていますが、葛西自身が記した調査報告書の「はじめに」から一部を引用します。

「日本の指導者たちは被占領国的気風という半人前の立場に安住することに固執し……自由主義、資本主義の正当性を国民に説くよりも、占領軍であるアメリカの意向として事に処する方が遥かに容易であると判断し、そのように行動……従って何故日本が自由主義陣営の一員でなければならないかについて、国民は正面から説明され、その意思を明示的に問われたことは一度も無かった。多数の声なき声を自分は指針とすると岸首相は断じ、偏向したメディア世論の本質を喝破したが、他の歴代首相は全てを曖昧にしたまま……だった」

「反米、親ソ・親中を唱え続けた知識人やマスメディアこそが第二次世界大戦に先立っては、日本の世論を反英米に扇動し、日本を亡国の戦争に追いやった元凶であった。日本国民に対する最悪の加害者であった彼らは、敗戦後巧みに被害者を装い、責任を明治以来の日本政府や官僚機構、財閥に転嫁した。……今日においても、彼らは懲りずに東アジア共同体などの妄想を振り撒き、反日米同盟、反TPP、反原発に国民を駆り立てようとしている。」

これが経団連、経済同友会が設立し多くの上場企業が会員になっているシンクタンクの調査報告書の冒頭に掲げられていることに唖然とするのは筆者だけでしょうか。知識人、マスメディアが「国家」に同調し戦争を「聖戦」として煽り、戦後ある者は巧みに被害者を装ったことがあるのは事実でしょう。しかし日本を亡国の戦争に追いやった「元凶」、日本国民に対する「最悪の加害者」が知識人、マスメディアで、その責任を政府、官僚、財閥に転嫁？？？　この言説を経団連、経済同友会の会員、経済界のトップ達は大人しく拝聴したのでしょうか。中国に戦線を広げ英米との戦争に突入し、世論を煽るために知識人、マスメディアを駆って国を滅ぼした真の「最悪の加害者」にならって、『ヤミ手当、ポカ休、ブラ勤』の新聞キャンペーン、屋山太郎「国鉄労使『国賊』論」、加藤寛の「国鉄解体すべし」で世論を煽り旧国鉄を解体したのは誰だったのでしょう。

その葛西が亡くなったときに大新聞はこぞって追悼に大きな紙面をさいています。各社が彼を語るのに共通したのが「信念」の二字です。毎日新聞は「確固たる意志」と言い、朝日新聞は「強いリーダー経済界超え……信念貫きリニアけん引」、また東京新聞の編集委員は同じ時期に亡くなったソニーの出井伸之、ホンダの吉野浩行の3人を「信念を貫いた経営者たち」と評しています。中曽根がいみじくも「総理の一念は一種の狂気」と語ったように、「信念」が権力、政治権力とむすびつくとき社会にはかり知れない影響を与え民衆を不幸に陥れることは歴史を振り返るまでもなく、いま目の当たりにプーチンの「信念」の怖さをみています。権力をもつ者の「信念」は、宇沢の指摘するような「市民の基本的権利を侵害されることがない、また、他人の基本的権利を侵害するような行為は社会的に許されないという原則」が貫かれたものであって、民主的なプロセスを経て認められるものでなければならないはずです。それでも過ちがあり、その過ちは繰り返されるのですが。

斎藤貴男はもう一つのシナリオとしてJR総連の解体に触れ「国鉄改革の中核を担った葛西らは、革マルだろうと都合がよければ重用し……従順でなくなれば警察権力と一体になってぶっ潰す。葛西流の『戦略』が労働分野から軍事同盟の領域にまで拡がった今、日本は謀略列島に化しつつあるようだ」と述べています。

毎日新聞の追悼記事の「評伝」は葛西敬之と安倍晋三、そして杉田和博の関係について、「葛西氏は与謝野馨元官房長官（故人）の紹介で若かりし頃の安倍氏と会い、親米保守の国家観に意気投合。……『誰が日本のリーダーにふさわしいか』との私（記者）に『安倍さんだね。対局を見据え、目先の利益に惑わされず日本の進むべき道を示せる唯一の指導者だ』……安倍氏の再登板に備え、友人の古森重隆・富士フィルム最高顧問と共に、安倍氏を支える財界人の会『さくら会』を結成。……経団連会長を務めた中西宏明氏（故人）もさくら会だ。第2次安倍政権で官房副長官を担った杉田和博氏は葛西氏の親友。安倍氏の右腕、今井尚哉首相秘書官（当時）も葛西氏による安倍氏支援の官僚有志の会のメンバーだった。『チーム安倍』は『チーム葛西』でもあった」と記しています。[注②]この記者が書いているように安倍政権に深く食い込んでいった葛西は、国家公安委員会、教育再生会議、安保法制懇などを歴任し自らの思想やロジックを政策に反映させます。斎藤貴男はまたNHKの経営委員長の人事に触れ、首脳が葛西人脈か「四季の会」から送り込まれる状況が続いていることを指摘して同社へも影響力を行使しているとしています。

マスメディアへの支配、影響力は経済人としては破格とも思える扱いの追悼記事からもうかがえますが、その支配、影響力で見逃せないのは安倍政権で隠然たる力をもった警察官僚出身の杉田和博、官僚有志の会かもしれません。

東京新聞が「こちら特報部」[注③]で警察法の改正をテーマに「『国家警察回帰』を警戒」の特集記事を掲載し、ジャーナリストの青木理が『世界』に「警察国家に向かわぬために――いまその芽を摘め」と言う論考を寄稿しています。[注④]前者は警察法の改正の主眼は「重大サイバー事案」を対象に国直轄の捜査機関を設け、国際共同捜査に参加するというものですが、サイバー事件の捜査班はすでに東京をはじめ14の都道府県警の公安部門などに置かれており、本当の狙いは戦前戦中のように国家が直接、警察活動ができる機関をもつことにあり、この法案を突破口に公安を担当する刑事局や生活安全局等にも同じ論法で広げていくのではないかと、識者（足立昌勝関東学院大学名誉教授）のコメントを掲載しています。

またこの警察法の改正が「ここ10年、警察官僚が政治に深く突き刺さり、官邸の中枢ポストに居座ってきたのと関係がある」と指摘した青木理が『世界』の論考で冒頭に取り上げたのは、岐阜県大垣署による個人情報漏洩事件と北海道警のヤジ排除事件です。前者は中部電力が計画していた風力発電施設に対する「勉強会」に参加した市民らの個人情報を、氏名・学歴から市民運動の活動歴や病歴にいたるまで多岐にわたって中部電力子会社社員に提供していたというもので、対象になった市民が思想信条の自由やプライバシーの侵害にあたるとして訴訟を起こしたものです。後者は2019年7月の総選挙の際、札幌駅前で街頭演説した時の首相、安倍晋三に抗議の声をあげたところ北海道警に排除され、その後も長時間つきまとわれた2人の市民が表現の自由の侵害に当たるとして北海道に賠償を求める訴訟を起こした事件です。両裁判とも原告勝利の一審判決ですが、岐阜の裁判は情報収集活動を認めるなど不十分で、さらに両方とも責任追及や警察からの謝罪は一切なく被告側は控訴しています。

青木は、第2次安倍政権以来、警察官僚が官邸の中枢ポストにあって「政権の政策に深く関与しているばかりか、霞が関官僚の人事から外交、安保政策に至るまで幅広く差配するようにもなってきた。」と指摘すると同時に、この警察法の改正に対して政治やメディアの問題意識が高くないことを批判しています。青木が警察組織と警察官僚の権限と権益の肥大化の具体例として挙げるのは、2013年「特定機密保護法」、2016年「通信傍受法こと盗聴法の強化」、2017年「テロ等準備罪」の名称をまぶした「共謀罪法」、2021年「重要土地利用規制法」ですが、これに2022年の「経済安保推進法」、侮辱罪の罰則強化のための刑法改正も付け加えられるでしょう。いずれも名目はそれらしく装いながら、「警察活動などの透明性を著しく低め、その情報収集能力や範囲を極度に拡大する治安法ばかり」で、警備公安部門の「市民監視、情報収集活動にお墨付きを与えるばかりか、基地や原発などに反対するデモや集会が制限されてしまいかねない危険性を孕む」ものと指摘します。

第2次安倍政権の中枢に「深々と突き刺さり」「政治権力と警察権力の歪な蜜月と一体化」によってその政権下で数々の治安法成立を導いてきた人物が、警備公安を統括する警察庁警備局長や内閣情報官などを歴任し政権発足時から官房副長官に起用された杉田和博であり、また警備公安系の幹部を歴任し、2019年に国家安全保障局（NSS）の第2代局長に起用された北村滋でしょうか。「前川喜平が文部事務次官退任後、加計学園を巡る政権の姿勢を実名で告発した直前、読売新聞が前川の『出会い系バー通い』記事を掲載したのですが、かつて通信社の警察の警備公安部門を長らく担当した者として、『幹部官僚のプライベート情報を収集できる組織など、この国には警備公安部以外には存在しない』」とし、その読売の〝スクープ記事〟は「誰がどう考えてもその告発者＝前川の信用を毀損し、その告発自体を潰そうと狙った政権のリークによるものだった」と言います。「杉田ならこうした情報を自在に入手できたろうし、だからこそ政権は杉田を厚く重用しつづけたのだろう」としています。まさにその通りでしょう。青木は、警察権を逸脱した私的監視と政権による恣意的な利用に「『暴力装置』たる警察の、そして情報機関である警備公安部門の強力なパワー」を政権が悪用した場合の「危うさ」とあわせて、「各省庁間の総合調整から幹部官僚人事」、「外交や防衛政策の企画立案」に至るまでの実務を警察官僚出身者が牛耳っていた「警察と政治が本来保つべき一線を完全に踏み越えた異常事態」を、野党やメディアなどがさほど問題視しなかったことについても指摘しています。なお、青木理は前掲の論考を結ぶに当たって「警察を民主的に統制する仕組みとして戦後導入された」公安委員会制度の再生・強化─具体的には「国家公安委員会や各都道府県の公安委員会の人選を透明かつ民主的なものにし、同公安委員会の事務局機能を警察から引き剥がし、委員会の手足となるスタッフや機能を十全に整えること」を「ささやかな提案」として述べるとともに、それすらこころみようとする発想が出てこない「政治の貧困と劣化」を私見として付け加えています。因みに国家公安委員会は国務大臣が務める委員長をのぞいて5席の委員のうち1席が大手メディア出身者の指定席となっているそうです。その年収は週に1度開かれる委員会に出席する程度で2000万円を軽く超えると言います。「メディア出身の記者を含めて警察を管理しているとはとても言えず、途切れることのない冤罪や不祥事に公安委員会が適切に切り込んだ事例など皆無に近い」とも述べています。

斎藤は「組織人」について問われた葛西が国鉄という組織の前に日本という国家があって「最も基本的な組織というのは国家です」と答えるエピソードを紹介して、彼の言う「国家」なるものが具体的に何者なのか、最優先されるべきは常に「国家」であれば個人の生命や尊厳は取るに足らないものか、と疑念を呈しています。また先に触れた2004年の「日本経済調査協議会の報告書にある「衆議院の過半数の支持を集めた人が総理に選出され、任意に国務大臣を罷免できる権限を有し、最高裁判所等の人事権も内閣に委ねられている内閣総理大臣は立法・司法・行政をコントロールし、自らの望む方向に政治を指導することが原理上では可能」というロジックは、中曽根が「自省録」において「本当の民主主義とは、国民全員が、直接、指導者をつくりだすことなのです」と言い、政治権力は本来文化に奉仕するもの、文化発展のため、文化創造のためのサーバント（奉仕者）と説き自身の行動を支えていたのは日本の伝統、世界との相関関係の歴史だったと語る言説に重なります。その「伝統」「文化」は他ならぬ「国家」であり、個人の生命や尊厳、広く国民社会に基本をおかない「国家」にとってそこからはみ出る者を統制する警察権力との蜜月は必然なのです。彼の「国家」とは国鉄解体で闘ったようにエリート支配層の権謀術数を尽くした権力闘争の場であり、その支配は「検察・警察」の権力によって個人を監視する「全体主義国家」、あのジョージ・オーウェルが描いた「１９８４年」のビッグブラザーの支配する国家をモデルにしているのでしょうか。ちなみにＪＲ東海の非常勤の取締役を務める米国人は、国鉄解体直後の１９８８年８月に国防総省国防長官室日本上級部長、その後米大統領府国家安全保障会議日韓部長、米大統領補佐官から米駐日大使上級顧問等の経歴を経た人物です。元検事総長と米国で安全保障等枢要な地位を歴任した人物が座り検察・警察出身の監査役も陪席する取締役会に、ついそのディストピアを連想してしまいます。

また杉田と葛西と「親友」関係は、旧国鉄解体の最中、杉田が当時の中曽根内閣の後藤田官房長官の下に警察庁から秘書官として出向していたときにはじまり旧国鉄の労働組合や革マル派などの活動や内情、また国鉄解体に反対する国鉄幹部や運輸官僚の情報を交換するところから両者が親密な関係を構築してきたと想像をはたらかせてしまいます。中曽根の国労潰しのもとで一緒に働いた葛西・杉田の2人が右派政治家、安倍晋三を利用しながら警察の権限を肥大化させる数々の立法を実現させ、経済界にも検察・警察官僚の権益を広げる原点は、お座敷をきれいにして立派な憲法を安置する「我々のコース」に求めることができるのでしょうか。しかし、それ以外にも多くの原点が「我々のコース」にあります。

先に紹介した調査報告書の緒言にある「日本の指導者たちは被占領国的気風という半人前の立場に安住することに固執」には中曽根の「（戦後）きわめて曖昧な合意のうえに政治が成り立って……こうした怠惰な政治姿勢に対して戦後マルキシズムがもたらした『国家は悪の機構』という知識人の迷妄が、現在の政治の空洞化を招いた」が反響しています。また調査報告書のテーマ「リーダー育成の方法論」の提言として教育に触れ「まず学びへの意欲を持たせることが重要……その原点である『志』をなるべく早い時期に育成していくことが重要」「尊敬すべき人達に関する文献を読ませておくことも重要である」と言いレーガン時代の教育長官W・ベネットの著した「道徳読本」は日本の修身教育と小池松次編著『これが修身だ』がそのもとになったと述べていますが、これは同じく前節で紹介した『自省録』中の「新鮮な『修身』の教科書」「出来の悪い教師のお説教などに百万言を費やすより優れた偉人のエピソードのほうが楽しくて遥かに教育効果がある」にそのまままつながります。

『自省録』は臨調の瀬島龍三が情勢判断や当面の施策など「大本営の作戦計画」のように書

いて送ってくれ内閣を支えてくれたこと、朝日新聞の三浦甲子二、読売新聞の渡辺恒雄が終始情報と助言をいれてくれたことが書かれ、国民へのアピールには劇団四季の浅利慶太の助言があったことなども記されています。中曽根の「われわれのコース」は安倍にひきつがれ臨調の役者は瀬島から葛西にかわって右傾化が官僚の世界から経済界そして言論界や芸能界まで翼をひろげています。看板は政治的中立を掲げる大新聞も前節冒頭の森嶋の文章や中曽根の『自省録』にあるように「中道左派的な思想を嫌う」傾向、政権やさらに経済界の中枢と癒着する傾向があります。そうした上層部の下で働く記者はどうでしょうか。元朝日新聞記者で「朝日新聞政治部」を書いた鮫島浩は次のように日本の新聞記者を評しています。[注⑤]

「朝日新聞はじめ、エリート臭が強くて、本当は外務省に行きたかったとか、政治家になりたかったとか……道を間違えて新聞社に入った人がウジャウジャいる。そういう人たちは、やっぱり『上級国民』の一員でいたいから、学者や政治家や官僚と手をつなぎながら……と言う人ばかりなんです。上級国民の勝手を許さない、上級国民を大衆のために監視する、そこで石を投げる、と言うのがジャーナリズムの原点。そこに戻らない限り、新聞社の復興はないと思います。」第1章で採り上げた「比較の呪縛」、メリトクラシーの例をここにもみます。また、鮫島は、「記者や官僚の扱いは簡単なんですよ。初対面で徹底的に恫喝するんです。」という鈴木宗男の言葉を引き、産経新聞で葛西敬之の評伝「議論逃げぬ憂国の経営者」

を書いた論説委員は、「本当に怖い人だった。……怒鳴りつけられた。それでも問題点を論理立ててきちんと説明してくれるので、話を聞かないわけにはいかなかった。」と書いています。百戦錬磨の政治家や政治権力と結びついた経営者にとって「競争」を勝ち抜いてきたばかりの「上級国民でいたい」若いエリートを操るのは訳もないことでしょう。「国境なき記者団」による報道の自由度が71位（２０２２年）の所以です。注⑥

安倍銃撃事件では自民党と統一教会の歴史的な関係が明らかになるなかで国会議員だけではなく地方議会の議員への浸透、学校での性教育に反対する地方での活動が報じられましたが、それは森友問題で採りあげられるようになった日本会議と共通します。例えば菅野完は『日本会議の研究』で日本会議が行っている地方議会への請願運動や、選挙の際に行われる「思想」を問うアンケートの実施や改憲運動の「草の根の擬態」を装う活動にも触れ、共産党や公明党などの政党と同じ事務処理能力をもっていると記していますが、今回の事件報道に関連して報じられたのも統一教会が選挙にみせる協力、活動能力の高さでした。注⑦また、桜を見る会で招待され嬉々として写真にポーズをとる芸能人をみれば、芸能界にまで右傾化の意図とも呼ぶべき運動が翼をひろげていることは明らかなようです。もちろん保守的な家族観を抱くことも改憲の運動もそれ自体は非難することではありません。しかしそれが性的少数者や女性に対する人を差別し傷つけ人権を蔑ろにし、平和や思想、表現などの自由権や生存権を奪う意図があるとすれば見過ごすことはできません。もちろん憲法を尊重し擁護すべき義務を負う国務大臣、国会議員その他公務員が、その義務に反する行動をとることは憲法違反ですが、それを報道し咎めないマスコミとは何でしょうか。

半藤一利は、保阪正康との対談集『そして、メディアは日本を戦争に導いた』（2013年東洋経済新報社）の「はじめに」として「いちばん大事な昭和史の教訓」を自民党が平成24年4月に発表した「日本国憲法改正草案」に触れてこう綴っています。「第9条の論外の改悪は断固として許すことはできないが、それに比較するくらい第21条の条文には愕然となった。その後でまさに怒り心頭に発し、それを報道しただけの新聞に罪はないのに、ビリビリと引き裂いてしまったほどだ」と。その怒り心頭に発した箇所が、現日本国憲法と一言一句変わらない第1項「集会、結社及び言論、出版その他一切の表現の自由は、これを保障」に続く第2項「前項の規定にかかわらず、公益および公の秩序を害することを目的とした活動を行い、並びにそれを目的として結社をすることは認められない」でした。「公益および公の秩序」の文言は随所にでてきて根本の狙いがここにあることがよくわかるとし、拡大解釈がいくらでも可能な法をつくり様々な自由を奪ってきた、権力者はいつの時代も同じ手口を使うと指弾します。

毎日行われる憲法審査会の論議を「猿のやること」と発言して集中砲火を受けた野党議員

がいました。見えすいた企みのことをかつてこの国では「猿芝居」と呼んだのですが、「国民を守る・国土を守る」に隠された「猿芝居」に、はたしてメディアは、そして団塊世代とそれ以降に続く世代は抵抗しきれるでしょうか。英国でブレクジットが議論されたときに出たバンクシーの「猿の議会」（正式名「退化した議会」）の諧謔も「核」で破壊された後の地球を題材にした「猿の惑星」を思い出す想像力も、退化したメディアから失われたのでなければいいのですが。

森嶋が警告したように戦後守り続けた中道思想を消し去って日本没落の顕著な傾向を示しているにもかかわらず、私たちは新自由主義が運んできたマネーに分断され、主人公たる私たち自身を見失ってはいないでしょうか。その隙間にカルチャー戦争の楔が打ち込まれていきます。歴史認識、移民受入れと入管法、同性婚、ＬＧＢＴ法……。

注①：斎藤貴男『世界』掲載の「権謀の人、政権のシナリオライター」（岩波書店　２０２０年１２月号および２０２１年1月号）
注②：毎日新聞　２０２２年5月28日
注③：東京新聞　２０２２年2月28日「こちら特報部」
注④：青木理『世界』２０２２年7月号
注⑤：日刊ゲンダイのインタビュー記事（２０２２年7月8日掲載）
注⑥：同年の報道の自由度ランキングでは、中華民国（台湾）38位、韓国43位です。
注⑦：菅野完『日本会議の研究』（扶桑社新書　２０１６年）Ｐ１０５、１０９

◉第3節　右傾化、日本の水脈とカルチャー戦争

新自由主義と権威主義的な右派の2本の水脈が中曽根の時代に合流し、前者の新自由主義が日本の経済を蓋いつくしたあとに「チーム葛西」と「チーム安倍」の下で後者の右派が政治の主導権を握り「中道」を押しのけて翼をひろげました。その権威主義的な水脈は中曽根から岸信介に遡ることになりますが、そのナショナリズムは奇妙に複雑骨折しています。中曽根が「自省録」に記す「国家」は、国民に直接選挙で選ばれた指導者が「文化、伝統、歴史」のサーバントとして独裁的な強い権力をふるうことのできる国家ですが、「文化、伝統、歴史」の先にあるのは「天皇をいただく共同体」で、日本国憲法に書いてある「いいことづくめの」平和や人権などの普遍的価値は「文化、伝統、歴史」にはない戦後にはいってきたものとされます。しかし実際に先にあるのはアメリカで、外交では「同じ価値を享有する」サーバント、国内では強い権力者を志向します。それが「チーム葛西」と「チーム安倍」の時代に現在まで翼を広げたナショナリズムであり、二度めの敗戦から「二等国になりたくないならば」の圧力をうけてその圧力を西隣に移譲する「此の国の人間交際の定則」の伝統、歴史に従っているようにもみえます。森嶋は「決定的に戦争で敗けたアメリカには競争心を

持たないが、アジアの諸国には依然として競争心を持ち優位に立っていると心底で思っている人がいる。もしそうなら日本人はアメリカに対してはナショナリストではなく、アジアに対してはナショナリストとして対応する。……そしてこのような人たちは本人が自覚しなくても歴史の車輪を逆転させているのである」と述べています。注① 日本の没落に対する唯一の救済策として森嶋が提言したのが現在では荒唐無稽にも受け取れる日韓と中国、北朝鮮と共同体をつくり独立させた沖縄にその首府を置く東北アジア共同体ですが、それに対する激しい反発を先に見た日本経済調査協議会の報告書での葛西の序言に読むことができます。

以下は親米右翼の水脈、岸信介から中曽根までを、人脈と金脈の観点から、いくつかの著作を遡ってみたのが以下です。

・ニューヨーク・タイムズの記者が書いた〝THE LEGACY OF ASHES：THE HISTORY OF THE CIA〟（２００７年）によると、マーシャル・プランでアメリカが投入する資金（１９４８年から４年間　１３０億ドル）の５％が相手国通貨で積み立てられＣＩＡに振り向けられたというのです。世界の政治指導者がアメリカの利益のために動くようＣＩＡが買収するためです。これが成功した２ヶ国が日本とギリシャで、日本で買収の対象に選ばれたのが児玉誉士夫と岸信介で、巣鴨プリズンから釈放された直後に、ＣＩＡから得た資金

援助によって戦後政治を左右することになったと言います。（宇沢弘文『人間の経済』新潮文庫　（２０１７年　Ｐ33～34）

・１９４５年8月14日ポツダム宣言受託を決定したその日に、鈴木貫太郎内閣は「軍その他の保有する軍需用保有物資資材の緊急処分の件」を決定し、全国に分散、備蓄されていた燃料、貴金属、食料など多くの軍需物資が「原則として有償とするが、直ちに全額を払う必要なし」との規則の下で、事実上、軍人や官吏・商人によって横流し、強奪されます。「こうした物資を預かる軍需省の親分だったのが軍需次官だった岸信介や……中島知久平たちであり、莫大なヤミ物資が換金されて、戦後の政界に流れた」（広瀬隆『日本近現代史入門』（集英社文庫　２０２０年　Ｐ３７８～３８０）その他関連では「品川沖で発見された金塊１０３本」（ＮＨＫ『映像の世紀』）、同アーカイブス「世耕事件　隠匿物資はまだある」など。

・戦時中、海軍物資の調達役として児玉機関を運営した児玉誉士夫は、無条件降服時に最後の海軍大臣米内光政から処分を白紙委任されたと述べていますが、巣鴨に収容される直前に実業家で政界のフィクサーであった辻嘉六に手渡し、「辻嘉六は総額７０００万円のほか、カマスにひとつ半ほどのダイヤと、段ボール箱20箱くらいのプラチナを半分ずつ河野一郎らに渡し、河野らがダイヤなどを米屋に売って、この莫大な金が日本自由党の資金になったのだ。（『黒幕・児玉誉士夫』毎日新聞政治部編エール出版社）児玉誉士夫が大金を渡した目的は、天皇が支配権を持った国家体制を戦後も維持することにあり、そのための政党を鳩山一郎たちにつくらせることにあった」（広瀬隆　前掲著　P418～419）

・その鳩山一郎の日本民主党が吉田茂の自由党と保守合同、自民党を結成し鳩山が1957年に引退しますが、後継の河野派に属したのが中曽根康弘です。中曽根と児玉誉士夫の関係が深いことは、本人が「自省録」のなかで1960年自民党総裁選挙当時河野一郎が自民党脱退を考えたときのエピソードで、他の応援者、大映のオーナー永田雅一や北炭の萩原吉太郎らと河野派の会合に同席していたことを記しています。（中曽根康弘『自省録』P63～64）

・佐高信は真山仁のノンフィクション『ロッキード』（2021年　文藝春秋社）の書評で、「CIAとロッキード社の相乗りでアメリカ政府の秘密の外交目的を達成するため、代理人で右翼の児玉誉士夫が使われた。児玉と言えば関係が深いのは中曽根康弘だが、中曽根は若い頃からニクソンの補佐官、ヘンリー・キッシンジャーに師事していた。……ロッキード事件は……『田中角栄の事件』ではなく『中曽根康弘の事件』となってくるのである」と述べています。（東京新聞　書評から）

・また15年をかけて同事件を追いかけた春名幹男『ロッキード疑獄　角栄ヲ葬リ巨悪ヲ逃

ス』（2020年　角川書店）の数節は衝撃的です。
「中曽根は、自分の関与が露見する可能性がある、と恐れたかもしれない。然し彼は、証拠文書が日本側に提供された丸紅ルートにも、全日空ルートにもつながっていなかった。彼は証拠がない児玉につながる人物であり、「児玉から先の巨悪の闇」の中で守られていた。米側に「モミケス」と宣う必要などなかった。いずれにせよ、中曽根は巧みに逃げ切り、2019年に百一歳で死去した」（同P564）
「（ダグラス・グラマン）事件から4年後の1983年2月、事件捜査当時の法相、古井喜美は朝日新聞のインタビューで次のように話したという。「『超大物』を事件の枠内にはめ込むことはできなかった。結局『超大物』は捨ててしまい、松野頼三君でとめた」
「超大物」とは、明らかに岸のことだった。古井に質問した国正武重編集委員は「岸元首相がらみではブレーキがかけられたと思えてならない」と述懐している。（同P573）
「昭和の妖怪」とも呼ばれた岸元首相。しかし、長女の洋子（安倍晋三首相の母）によると家では「思いやりも深い父」で……ただ政治とカネの問題になるとリアリストになるようで……岸自身は「政治は力であり、カネだ」という認識で、「カネは濾過してから使え」と発言したと伝えられる、とも書いている。……しかし、どうだろう。カネを「濾過する」というのは、もらったカネが汚いから濾過するのだ。今の言葉で言えば、マネーロンダリングになる。まさに「巨悪」にふさわしい行為ではないか。洋子は、安倍晋三前首相の母であり、元首相の娘であり、佐藤栄作の姪でもあった。日本の最高権力に最も近い女性だ。倫理的な問題など深く顧慮せず、平然とそんなことを書いてしまう異常な時代に、われわれは生きている」（同P583）

以上のようなこの国の支配層に流れる黒い水脈とは無縁の一般の民衆には、アメリカは自由主義、共産主義、社会主義の「赤」や労働運動に対する弾圧からの、また「オイコラ」と威張る軍人やお巡りからの解放者であり、戦後の食糧難を大量の小麦を手当てして飢餓から救ってくれる恩人としての心象を植え付けました。先の『占領下の日本海運』を書いた有吉は「日本の海運は、壊滅を賭して国家に殉じた。海陸の兵隊が太平洋の島々でみじめな戦死を遂げたように、若いパイロットが劣勢な飛行機で特攻攻撃を強いられたように……無能な最高指導の犠牲のひとつ」と語り、他方「占領の初めに大砲を打ちながら日本人と戦おうとやってきた人たちほど、日本人を尊敬し、人間としても立派な人たちが多かった」と述べています。注②ここにはいまに至る、黒い水脈とは別の親米の水脈が流れ出すのがみてとれます。復興が進み世が移ってテレビから流れて来るホームドラマをはじめとして、アメリカの自由で豊かな生活は憧れでもありました。そのアメリカ自身、ロバート・ライシュは『暴走する資本主義』のなかで描写するように1945年から1975年のオイルショックにかけ「黄金時代のようなもの」を謳歌していました。この時代米国は大量生産を基盤として中間層が十分な購買力をもち、労働者の3分の1は労働組合に属し、鉄道、電話、電力・ガスなどの公益事業に対する政府の規制と補助によって企業の経済的利益は再分配され、資本主義と民主主義の両立という輝かしい成果をあげた「驚くほど成功を収めた民主的資本主義」時代であったと言います。「ようなもの」とは50年代のマッカーシズムによる市民的自由の危機、安価な資源を獲得することを中核においた外交などの欠点があったが故、と述べています。注③

しかしそのアメリカもベトナム戦争からソ連崩壊後も9・11からイラク、アフガンなどの戦争を繰り返し、レーガノミクスと戦争が生んだ巨額の財政赤字が巨額なものに膨らんでいく一方で、中国がアメリカと世界の覇権を争うまでの競争者として急成長します。そしてアメリカの「黄金時代のようなもの」の後に世界を待っていたのは新自由主義による格差の拡大と社会の分断でした。2016年のイギリスのブレクジット、トランプの大統領選挙の勝利はその分断を世界に突き付け、欧州や世界各国で右派政党は断層にくさびを打ち込むように勢力を伸ばします。その背景になっているのは移民問題、国内の黒人や原住民、性的少数者の権利保護から歴史観、環境保護、米国では人工妊娠中絶、銃規制まで保守派と進歩派の幅広い分野での意見の対立、「カルチャーウォーズ」ですが、英国の元首相で現在は国連の教育担当特使を務めるゴードン・ブラウンは極右政党の勢力伸長が伝えられるスペインの総選挙を前にして英紙に論考を寄せています。彼によれば、右派政党がスペインの選挙をカルチャーウォーズに引きずり込むのは公共事業の民営化や、民間医療の拡大、最高税率のカットなどの新自由主義的経済政策から注意をそらすためであり、欧州の各国で「グローバリゼーションの新自由主義版」が働く者の生活防衛を無視し失敗したがために右派のカルチャーウォーズを許すことになったと述べています。そのうえで排外的なナショナリズムを打ち負かすのは、ジョージ・オーウェルがかつて記した「道徳的努力」しかないと言います。注④

日本では「道徳」は右派政治家の領分ですが、ここに言う「道徳」であるモラルそして森嶋が日本にみた荒廃した「道徳」は、中曽根や葛西、教育勅語を否定しない右派政治家の説く「道徳」・修身とは明らかに異なります。付け加えるならばジョージ・オーウェルは、愛国心（パトリオティズム）が或る特定の場所や生活様式への献身であり本来、軍事的にも文化的にも自衛的なものであるのに対して、ナショナリズムの本性は権力と名声への渇望と切り離せない別物であると論じた後に次のように記しています。「ナショナリズムに端を発する愛や憎悪に関して言えば、それらは好きであろうと嫌いであろうと、我々の大半の内面を構成しているものの一部である。……もしもソ連を憎み、恐れるなら、もしも米国の富と国力を妬むなら、ユダヤ人を軽蔑するなら、そして英国の上流支配階級に劣等感を抱くなら、こう言った感情は、ただ気に留めるだけでは除去できない。けれども少なくとも、自分はこうした感情を抱いていると自覚し、自分の知的過程がこれらの感情によって汚染されるのを防ぐことはできる。不可避の、そして政治的活動には必要でさえある根源的衝動、感情を源とする根源的衝動は、現実を受容する姿勢と併存するのが可能であるはずだ。しかし繰り返して言うが、併存させるためには道徳的努力が必要である」[注⑤]。また彼は別の個所で「ナショナリストはみな、過去は変えられうるという確信に取りつかれている。彼は空想し、いつの間にか歴史上の事件は自分の解釈通りに起こったと信じ込む」とも述べています。どこかの国のナショナリストによくみられることです。

なお、森嶋は「教育勅語」について、これが洪武帝の「六諭」を基礎としたもので「日本の戦後教育は、このような儒教教育への郷愁を持ち続ける教師たちによって、普遍主義・平等主義の教義が未熟なままに教えられたのである」と述べています[注⑥]。右派政治家は別にしても、政官、そして司法、さらにメディアから私たち一般の国民まで人権感覚の希薄さの一因は森嶋の指摘するところにあるのかもしれません[注⑦]。

注①：森嶋道夫　前掲著『なぜ日本は没落するか』P１９２
注②：有吉義弥　前掲著『占領下の日本海運』P15，P62・63
注③：ロバート・ライシュ『暴走する資本主義』（２００８年東洋経済新報社　雨宮寛・今井章子訳）第1章「黄金時代のようなもの」P20～66から
注④：ゴードン・ブラウン　ガーディアン紙２０２３年7月14日付け
注⑤：ジョージ・オーウェル『全体主義の誘惑　オーウェル評論選』（照屋佳男訳　２０２１年中央公論新社）
注⑥：森嶋道夫　前掲著『なぜ日本は没落するか』P41　六諭とは「父母に孝順なれ、長上を恭敬せよ、郷里と和睦せよ　子孫を教訓せよ　おのおの整理（職業）に安んぜよ　非為をなすなかれ」の六カ条（広辞苑）
注⑦：藤田早苗『武器としての国際人権　日本の貧困・報道・差別』（２０２２年　集英社新書）は国際人権の視点から日本の司法界は課題が大きいとして、国連人権機関からも懸念を表明されてきたとしています。森友事件に関する赤木さん裁判の大阪地裁判決、さらに最高裁の臨時国会開催に関する判決などは、司法の課題を指し示しています。

第6章

気候危機と戦争の時代

◉第1節　「豊かさ」と「等しさ」の末に

柄谷行人は『世界史の構造』において、世界の資本主義の諸段階は、資本と国家の結合そのものの変化としてあらわれ、それはリニア（直線的）な発展ではなく循環的なものと述べて、1750年以降現代までの時代を60年刻みで5つの時代に区分します。その第4の時代、両大戦間の1930年から1990年までの世界資本主義を国家独占資本による後期資本主義と称して、その時代の国家の性格を福祉国家と言い、経済政策を自由主義的経済政策また車や電化製品などの耐久消費財を世界商品と位置づけます。これに対して1990年以降、第5の時代の世界資本主義を多国籍資本による新自由主義、地域主義的国家、帝国主義的経済政策と定義しています。自動車にかわる世界商品は情報です。柄谷は「第二次世界大戦で疲弊した先進資本主義国家は（ヘゲモニー国家である）アメリカの援助を受け、あるいは、アメリカの開かれた市場に依拠しながら、経済的発展を遂げ……その結果日本とドイツの成長がアメリカに追いつき始め……この時期の世界商品であった、耐久消費財（車と電気製品）の生産と消費は飽和点に達した」とし、「アメリカがヘゲモニーの没落をしめしたのが1971年の金兌換制停止」であって、ヘゲモニー国家であった1930年代から推進してきた「労働者の保護や福祉政策を見捨てるようになったのは1980年代、資本への税制や規制を削減するようになったレーガン主義に象徴される」としています。注①

その1975年までのアメリカを資本主義と民主主義の両立「黄金時代のような」と呼んだロバート・ライシュは前掲著「暴走する資本主義」で1970年代後半からアメリカの民主的資本主義には根本的な変化が起こり、「権力が消費者と投資家に移ったのだ」といいます。柄谷の後期資本主義、その後半のことです。ここではその時代の日本で私たちが消費者として車、電化商品を求めた姿から、それが何を今日までもたらしたのか、考えてみたいと思います。

次のグラフは1975年からの45年間を15年ごとに区分して各期間に新しく建てられた住宅の戸数と乗用車の増加台数を表したものです。1975年から2005年の30年間で4000万戸近くの住宅が新設され、同じく4000万台近くの乗用車が販売されました。1年間に約130万戸の家が建てられ、それに合わせて電気製品などの耐久消費財が買われ130万台の乗用車が購入された勘定になります。その後半の90年代は既にみたとおり、空洞化と雇用の解体によって1994年に就職氷河期に突入し消費も落ち込んでいきますが、その年には日本はまだ世界全体のGDPの17・9%のシェアをしめ、1997年に平均給与が418万円など高度経済成長とバブルの余韻を引きずっていました。「一億総中流社会」の80年

グラフ13　1976/90、91/2005年、16/20年 各15年間の住宅着工戸数と乗用車台数

万戸・万台

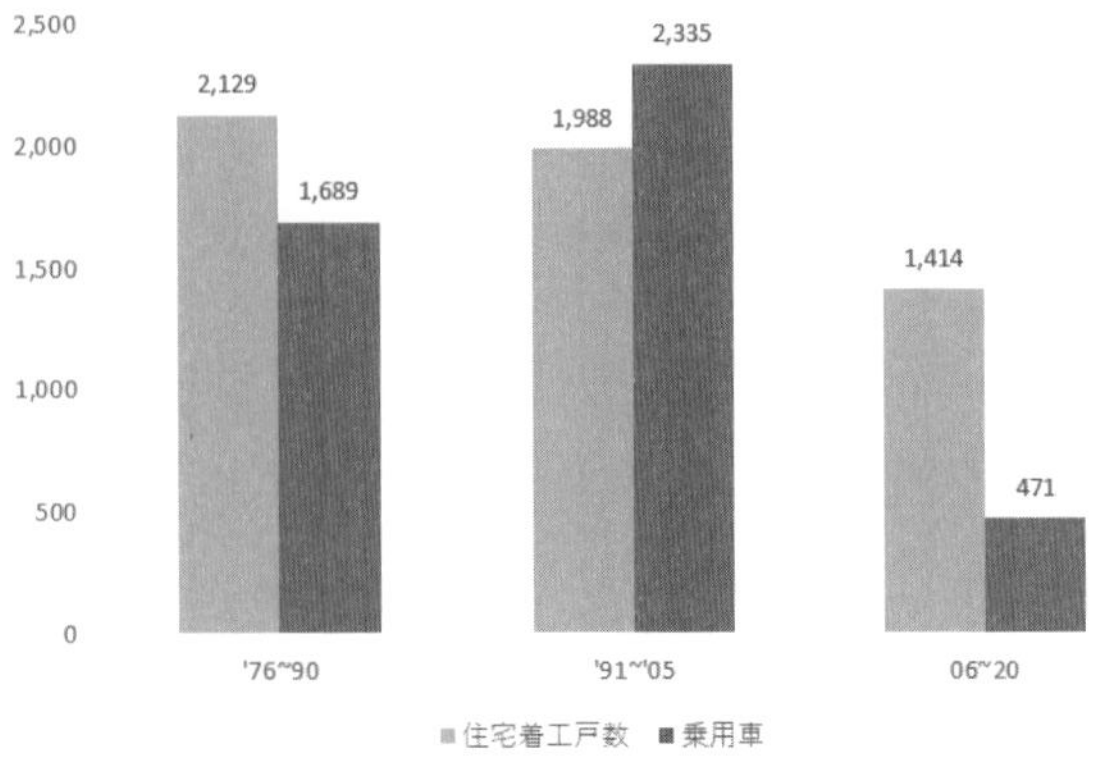

住宅着工新設戸数：国土交通省　建築着工統計調査報告令和4年度

乗用車台数：日本自動車整備振興会連合会　自動車保有台数の推移

代、消費の時代を2人の思索家、西部邁と藤田省三がどのように観察したかを西部の『貧困なる過剰』と藤田の論考から考えてみます。

ベビーブーマーの親の世代が第2次世界大戦後に願ったのは、戦後の焦土の上に「人間らしい生活」を手に取り戻すことだったと思います。それはやがて三種の神器と言われた電気製品が一般の庶民の手に届くようになった時代に、自由と民主主義の国、ヘゲモニー国家であるアメリカの「豊かさ」「等しさ」の象徴として願望の対象となり皆が競って求めることとなりました。「消費社会」「大衆社会」の実現であり、西部邁が近代のテーゼあるいはイデオロギーと呼ぶ「豊かさ」と「等しさ」という二本柱の価値の誕生です。その電気製品が急速に広まった後を追ったのが、自動車

でした。その高い技術が寛容なアメリカの市場に広く受け入れられ輸出と国内需要の両方のエンジンがフルに回転して「大量生産」「大量消費」の高度成長期を迎え、日本の「黄金期のような」80年代に到りました。しかし西部は「みごとな技術とみごとな製品」が覆っている一方で、それらに包み込まれた人間たちの品位、「たぐいまれに低い精神的な水準」をみて取ります。海外出張の帰りがけのリムジンバスでヌード満載の雑誌をひろげるビジネスマンにそのことを象徴させて、20世紀初頭から始まった絵画運動にアナロジーを求めながら「ビジネス文明」の病理を浮かび上がらせます。その病理は、変化の過剰（未来主義）、虚無への傾斜（キュビズム）、感性の露出（フォービスム）などです。そのアナロジーの妥当性は措いて、彼はその序論で当時の日本を「『豊かさ』と『等しさ』という二本柱の価値に些かの懐疑の念ももたない人々（大衆）が、社会のあらゆる場所を占拠した状態、政治のみならず社会、文化および経済のすべての領域において豊かさと等しさが価値基準になりおおせている……世界で最も高度な大衆社会」と呼びます。また終章では「問題は、セルフ（自己）の具有する社会性がますます希薄になり、社会的に紐帯を失って孤独に漂流する諸個人が市場を占拠しはじめ……市場における貨幣と技術の乱舞の現状が次第にダンス・マカーブレの様相を示している。市場主義、それは現代における『死の舞踏』である」と語ります。注②

一方で藤田省三は、次のように私たちの心に棲む「根こぎ」をみていたのです。「ますます

『高度化する』技術の開発を更に促し……最新製品を、その底に隠されている被害を顧みることもなく、進んで受け入れていく生活態度は一体どのような心の動きから発しているのであろうか。『追いつき追い越せ』から『ますます追い越せ』へと続いてきている国際競争心等々の他に、少なくとも見落としてはならない一つの共通動機がそれらの動機の基底に在って働き続けている。それは私たちに少しでも不愉快な感情を起こさせたり苦痛の感覚を与えたりするものは全て一掃してしまいたいとする絶えざる心の動きである。……不快の源そのものの一斉全面除去(根こぎ)を願う心の動きは……個別的な苦痛や不愉快に対してその場合その場合に応じてしっかりと対決しようとするのではなくて、逆にその対面の機会そのものを無くしてしまおうとするものである」[注③]

保守主義者として自らの位置をとる西部と、異なる立場の藤田の両人が80年代の「黄金のような時代」に観察したのは、戦後に発した「平和で人間らしい生活」への希求でつながっていた社会的な紐帯・社会性が欠落し、「生活の中心に関連する『安らぎ』『楽しみ』『享受』『喜び』等々の諸概念意味がことごとくニュアンスを失って『熨されて』しまったという、情意生活の上で致命的な損失」でした。「豊かさ」「等しさ」が他者との「比較」「競争」において成り立ち、「消費」が自己の所有に始まるものであれば、それが反社会的な「市場主義・新自由主義」が蓋う社会で、他者や社会とのつながりが失われていくのは必然かもしれません。

西部は、豊かさと等しさ以外の価値の欠落を少しでも埋めようとするならば、この市場機構という名の歯車の回転をスローダウンさせる実験にとりくまなければならない、と言い、一方、藤田は、出口を持っていない現代社会の構造的危機に対して、一日一日の生き方の選択に、一連の損失（「物」の概念、「安らぎ」「楽しみ」「享受」「喜び」等々）を小量ずつ取り戻すように務めなければならない、と述べ「その『充実』の存在こそが『安楽への隷属』に対する最も根本的な抵抗であり、同時に、文明の健康な限度設定とそれを担う小社会の形成という目標（ユートピア）へのこころざしでもある」注④と結びます。

時代は、歯車の回転をスローダウンさせることも、文明の健康な限度設定もできないまま貨幣と技術の乱舞の回転速度は益々速度を増して「等しさと豊かさ」が分裂して「一億総中流社会」を解体しました。藤田が願ったような全体主義からの一縷の「抵抗」は顧みられることが少なく、日本の「黄金時代のような」80年代の病理は、癒やされるどころか、ポスト産業資本主義の世界商品である「情報」は個人、そして社会を分断していきます。

独立行政法人労働政策研究・研修機構とNHKが行った「暮らしと意識に関するNHK・JILPT共同調査」は、厚生労働省や総務省によるいくつかの統計調査を用いた分析の結果では、いずれもこの25年間に所得指標による中間所得層の減少と低所得層の割合の増加が確認される、そういう状況下で、（1）若い世代ほど親より経済的に豊かになれないのか、

（2）親より経済的に豊かになれないことが社会的にどのような負の影響を与えるのか」などについて実態把握をしようとするものであるとしています。吉本が「10年、15年後には9割9分の人が、私は中流と言うでしょう」と語っていた1990年代初頭から30年近く経った現在、過半数約56％の人が「中流より下の暮らし」をしていると答え、「中流の暮らしをしている」と回答した人は4割弱だったとしています。調査によれば、中流の暮らしを送るのに必要な年収を「600万円以上」とする割合が高く、過半数（55・7％）は「中流より下の暮らしをしている」と回答。また4割弱は「親より経済的に豊かになれない」と考えており、そうした個人は「日本では、努力さえすれば誰でも豊かになれる」という考えに否定的な傾向にあるとしています。さらにイメージする「中流の暮らし」にあてはまる条件に「世帯主が正社員、持ち家、自家用車」が多く選択されているとしています。

グラフでもみたように車と持ち家は一億総中流を実感させる「大衆社会」「消費社会」の象徴であり、それは大量生産と大量消費によって実現しましたが、その両者を繋ぐ輸送・流通、そして通信技術の進歩がこれを支えました。陸で鉄道からトラック輸送への転換が60年代後半から急速に進み「モノ」の輸送運搬に大きな変化を及ぼし1970年代に始まったコンテナ船や自動車を運ぶ専用船の出現、石油などのエネルギー資源を輸送する船舶の大型化が世界貿易に繁栄をもたらしました。こうして産業資本主義に適合した日本型システムの成功が高度経済成長をもたらし、賃金の上昇は「モノ」の所有、消費を後押しして日本は世界的にもまれな急速で稠密な「クルマ社会」を実現します。しかし「クルマ社会」がもたらしたものは繁栄だけではありません。

宇沢弘文は『自動車の社会的費用』のなかで次のように述べています。「資本主義的な経済制度は、ひとたび自動車を梃子として走り出すと斜面を滑る球のように加速度的にはずみをつけながら転がって、歯止めを知らないようにみえた。自動車の大量生産はたんに自動車産業だけでなく、鉄鋼、銅などの金属資源をはじめとして石油、電力を大量に消費する。このような基礎資源、エネルギー資源を生産するために大量の資本と労働が投入され、自動車産業から発生する需要を前提としてこれらの産業で多くの企業の存続が可能となってきた。またハイウェイの建設は、ガソリンスタンド、レストラン、モーテルなどつぎからつぎに新しい関連産業を生みだし、はかりしれない二次的・三次的な雇用波及効果をもっていた。大量に生産された自動車にたいして需要がうみだされるように、つぎからつぎに消費意欲をかきたてるための手段が開発され、消費を美徳とする広告宣伝活動がおこなわれ、さらに自動車の大量生産を誘発していった[注⑤]」

宇沢は、自動車の普及が都市の形態の変化、公共的交通機関に対する投資の低下、公共的交通サービスの低下による需要の低下、それがさらなる公共的交通機関への投資の低下を生み出す悪循環をもたらし、人々の自動車依存度を高め、都会・地方を問わず運転するということを前提としなければ最低限の生活すらできないという状況が形成されたと述べます。その乗用車の台数は、66年の230万台が15年後の81年に10倍の2360万台にさらに15年後の96年に4510万台と伸びていきます。道路の建設に巨額の資本が投資され、自動車利用者とそれを生産・輸出する自動車産業のための国造り、国土改造が優先されました。もちろん、自動車が人にもたらした移動の自由、物の輸送での便益なしに、今日の産業社会は成り立たないと言えますが、それがもたらした便宜を最大限に享受している先進諸国のなかでも、とくに急激かつ稠密な自動車の普及を経験した日本の至るところで「風景」が変えられました。自動車の普及と道路の建設によって変えられた自然の風景、都会・地方の街並みだけではなく、そこに住む人の職業の風景や生活の風景も変わりました。そこで発生する外部不経済を宇沢は追究したのですが、果たしてその意思は継がれないままに、気候危機の中、その動力源だけに焦点があてられて時代は動いているようです。

デビィッド・ハーヴェイは「資本の地理的景観の生産」について次のように論じています。「資本は地理的景観を生産することで、資本自身の再生産とそれにつぐ発展とを有利にするように務めている。ここにはおかしなところや不自然なところは何もない。……資本にとって時は金なりである。時間と貨幣の節約は収益性の鍵である。従って空間的運動の費用と時間とを節約するイノベーション―技術的イノベーション、組織的イノベーション、そして物流管理的イノベーション―が重視される。……マルクスが『時間による空間の絶滅』と呼んだものは、資本がその努力を傾ける至高の目標の一つである」注⑥

ハーヴェイは続けて費用と時間の節約を達成する2つの方法として運輸通信技術において引き起こされる一連のさまざまなイノベーションと資本家によって選ばれる活動の立地について述べて、それが地理的不均等発展という一つのモザイクを形成すると言います。市場に活力があり物的・社会的インフラという大きな強みを持つ先進地域と、対照的に十分なサービスを受けられなくなり不況と衰退のスパイラルに巻き込まれる他の諸地域のことです。

戦後の復興に始まって一極一軸型国土構造を目指して「三大都市圏への人口、産業等の集中による一軸構造を強化」し、70年代には「人口の社会移動の沈静化、工業の地方分散」が進められましたが、80年代「人口及び工業以外の産業関連諸機能の面での東京一極集中」までの豊かな社会への道程は、技術的・組織的・物流管理的イノベーションによる「費用と時間の節約」、資本の効率の追求の過程であったことは明らかです。その中心にあったのが、柄谷が1930年から1990年の後期資本主義、産業資本主義の「世界商品」とした自動車であり、自動車産業であったことは間違いありません。そして「費用と時間」の節約、鉄道を代替した自動車による貨物輸送・物流とそこから誕生した「豊かな社会」の人たちが保有する自家用車のために建設された道路は、フロンティアを求め続けて「地理的空間を生産」し先進地域と他の諸地域の地理的景観を変化させました。それは山間部や沿岸部にアスファルトの道路を造成して自然環境を破壊し、自然の景観を変えたというだけではありません。「豊かな社会」の消費者となった人たちは自家用車で、国道や高速道路沿いに出来た郊外の大型店や専門店に旧商店街の個人商店よりも安価な商品や多様な商品を求めて集まり、反対にかつての商店街はシャッター通りに変わって日本の至るところで「マチ」や「ムラ」の景観を変えました。民営化と自動車にかわる次世代商品としての「情報」を生み出した情報通信の技術革命がその変化に拍車をかけました。景観を変えたのは地方だけではありません。人口が集中するようになった大都市でも景観を変えました。「再開発」は「市場の活力」のある「駅チカ」など先進地域への集中が進み、その他の地域が取り残される風景のモザイクが形成されていったのです。

そうした風景のモザイクの形成、資本の地理的景観の生産の一方で、新自由主義はロバート・ライシュの言葉のように投資家への権力を与えて富裕層を生み出し、雇用の解体によって勤労者の間にもモザイクを形成しました。柄谷行人は前掲の著作で「帝国主義の時代に支配的なイデオロギーは、弱肉強食の社会的ダーウィニズムであったが、新自由主義時代にもその新版があらわれた。たとえば、勝ち組・負け組、自己責任、といった語が公然と語られたのである。経営者、正社員、パートタイマー、失業者という位階制は、自由競争による結果として当然視される」と述べています。[注⑦]

先のグラフ13が示す直近の15年にみる住宅着工新設戸数と乗用車の増加台数の変化は、JILPTの調査報告が明らかにしたように「一億総中流社会」の解体であり「等しさと豊かさ」の分裂を表すものですが、それはまた橋本健二が「新たな階級社会」と呼ぶ社会のタテのモザイクが形成されたことでもあります。以下の文言はデビィッド・ハーヴェイの著作に引用されたマーシャル・バーマンのものです。

「ほかならぬ開発の過程は、不毛な土地を物質的にも社会的にも繁栄した空間に作り変えたとしても、開発者自身の内側に不毛な土地を再び作りだしてしまうようだ。これが開発のもたらす悲劇の作用だ[注⑧]」

宇沢弘文「自動車の社会的費用」によれば1971年時点での日本における道路延長は102万キロメートル、国土面積1平方キロメートルあたり2・71キロメートルとなって、ベルギーにつぐ世界でもっとも稠密な国であり、自動車の台数でみても1972年では200台近くまで増え、イギリスの120台、西ドイツの102台に比べ、いかに自動車密度の高い国になっているか、を指摘していますが、国土交通省の道路実延長の内訳総括表から拾った、高速道路、一般国道、主要地方道の総延長は、1975年から2005年の30年間で

46、000キロメートルになっています。いまや稠密度はベルギーを抜いているのではないでしょうか。また道路事業費でみると建設的経費が228兆円、維持的経費をあわせると300兆円に近いお金がつぎこまれています。道路、駐車場の建設、工場の敷地や港湾などの施設、市街地の整備や住宅の庭まで自動車にあわせて、どれだけの地表面をコンクリート、アスファルトで覆ってきたでしょうか。冷暖房や厨房で電気製品が占拠する家庭部門と、交通部門のうちの乗用車が消費しているエネルギーは2015年で1975年のほぼ2倍、全部門にしめる乗用車を含む家庭部門の割合は今ではほぼ3割を占めています。世界的な文明の飽くなき消費、風景の改変が気候危機を招いたことに疑いを挟むことはできません。

バーマンの「繁栄した空間、開発」の遺産、西部邁が語った「市場における貨幣と技術の乱舞」の遺産を、私たちは次世代さらに次々世代にどう引き継いでいくのでしょうか。すでにモザイク化がもたらした負の地理的遺産は、シャッター街からゴーストタウンになり果てた商店街、廃校の校舎や地方のオフィスビルから空き家まで広がっています。そのうえにまだ私たちは、バーマンの言う内側に作り出された不毛の土地で不条理の犠牲者をうみだし続けるのでしょうか。

しかし古い世代が過去の夢幻空華に痴れたまま「嵐よ、我が後に来たれ」と精神の荒廃、無明の淵に沈むかたわらで、世界を襲う不条理に対して、他者の不幸に寄り添う「利他」や

「同時」の生き方を探り、或いは身体性の消去への抵抗に未来への道を見出そうとする若い世代が存在することがひとつの希望です。

注①：柄谷行人『世界史の構造』（２０１５年　岩波現代文庫）第４部第2章Ｐ４６５
注②：西部邁　日本経済新聞に口述として載せた『貧困なる過剰』（同社　１９８７年出版、副題を「ビジネス文明を撃つ」）から
注③：藤田省三「安楽への全体主義」（１９８５年『思想の科学』）（初出。引用は平凡社２０１０年　藤田省三セレクションから）
注④：同右　前掲Ｐ３８７、３９８から
注⑤：宇沢弘文『自動車の社会的費用』（岩波新書　１９７４年）Ｐ26～27
注⑥：デビィッド・ハーヴェイ『資本主義の終焉　資本の１７の矛盾とグローバル経済の未来』（作品社２０１７年　大山定晴ほか訳）第11章　地理的不均等発展と資本の時空間　Ｐ１９８～１９９
注⑦：柄谷行人　前掲著「世界史の構造」Ｐ４４７
注⑧：デビィッド・ハーヴェイ『ポストモダニティの条件』（２０２２年　ちくま学芸文庫　吉原直樹監訳　和泉浩　大杉彩美訳）Ｐ42

◉第2節　個人析出、私化と原子化

この数年の間に、国内外で余りに多くの事件がおきました。気候危機が叫ばれるなか事件はコロナ、ウクライナ侵略から安倍襲撃事件までいずれも衝撃的で、世界が柄谷行人のいう「帝国主義の時代」に入って「第3次世界大戦」（エマニュエル・トッド）に突入したのでしょうか。環境破壊が生んだ気候危機による洪水、干魃、竜巻、山火事は毎日のように地球上のどこか、そしてどこでも起こり、ロシアによるウクライナ侵略の前からいずれかの大陸のどこかで内戦や弾圧という戦争、殺人が行われていることか、それがもう何年も続いています。

ジェフリー・サックスによれば、ブラウン大学の研究所の調査報告では9・11以来アメリカは戦争に8兆ドルを費やし、アフガン、イラク、パキスタン、シリア、イエメン、リビアそしてソマリアで戦争による死者は間接死を含めて460万人を数えるとしています。さらにウクライナの軍事支援は1130億ドルにのぼるとも語っています。注①

新自由主義経済の時代、新たな「帝国主義」の時代の世界の構造変化をみる一例として日本をはさむアメリカと中国、日本の貿易収支の推移を表したのがグラフ14です。日米経済戦争当時1985年の米国の貿易収支は1336億ドルの赤字、日本は466億ドルの黒字が、

グラフ14　日米中の貿易収支の推移　　単位：10億ドル

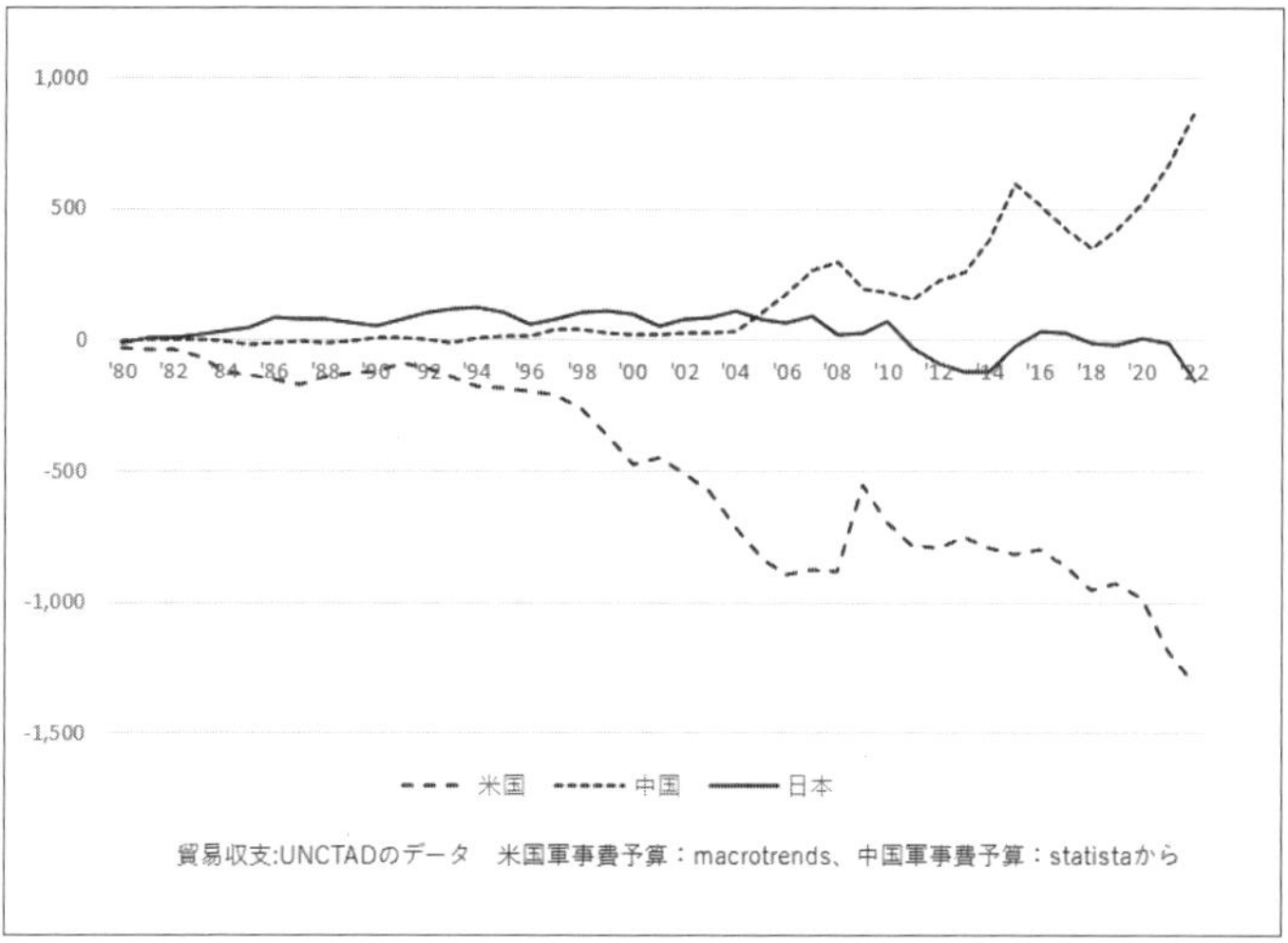

２０２２年では米国が１兆３１１４億ドルの赤字に対して中国は８７７６億ドルの黒字、日本は４７７億ドルの赤字に様変わりしています。貿易額でも中国は輸出で３・６兆ドル、日本の５倍近く、輸入は２・７兆ドル、３倍の規模になっています。この間ＧＤＰは米国が５・９倍の25・４兆ドル、日本は３・０倍の４・２兆ドルに対し、中国は58・４倍の18・１兆ドルに成長しています。その世界のＧＤＰにしめるシェアは米国25・４％、中国18・１％に対し、かつて１９９５年に17・８％であった日本のシェアは４・２％に過ぎません。また米国の軍事予算は２００１年の９・11同時多発テロから２００３年のイラク戦争、現在に至るまで増え続けています。中国も軍事費を増やし続けています。これらに日米の財

政収支赤字、国債の残高を付け加えることが必要かもしれません。前者は２０２１年度で米国が対ＧＤＰ12・１％の赤字、日本が６・２％の赤字、また後者の政府債務の残高は米国がＧＤＰの１・26倍、日本が２・55倍になっています。その他、かつて「鉄は国家なり」とうたわれた粗鋼生産量は日本が１億トンだった85年にはその半分にもみたなかった中国は、２０２０年には日本の８３００万トンに対し10億トン、世界の56％を生産しています。注②どの数字を比べてみても80年代から大きく変わっています。前述したように80年代の「大衆社会」「消費社会」の日本で二人の思想家のひとりは「みごとな技術とみごとな製品に包み込まれた人間たちの、『品位、文化のたぐい稀に低い水準』」、またひとりは「不愉快な感情を起こさせたり苦痛の感覚を与えたりするものは全て一掃してしまいたいとする『根こぎ』」の心の動きを観察しました。さらに森嶋は90年代の官界から産業界、政治家そして広く戦後世代に「精神の荒廃」をみました。柄谷が世界史の転換期とする１９９０年を境にした前後10年にこの国で政治的経済的社会的な変化が起き、さらに前述した世界の地殻変動に呑み込まれていく中で、私たちはどのように変わったのか、或いは変わらないのは何でしょうか。

柄谷は２００８年の講演「なぜ日本人はデモをしないのか」で和辻哲郎が『風土』に書いた「（日本の民衆が）公共的なるものを『よそもの』として感じていること、従って経済制度の変革というごとき公共的な問題に衷心よりの関心を持たないこと、関心はただ『家』の内

図3　個人析出

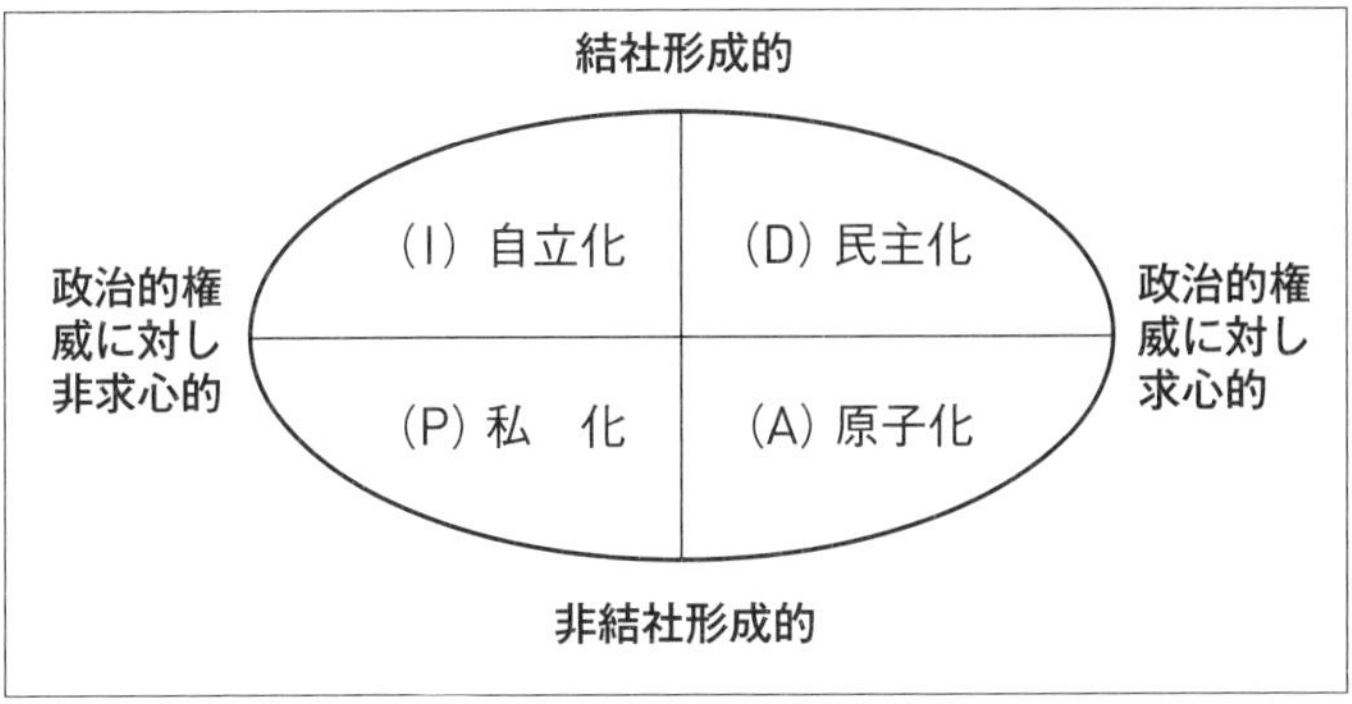

岩波書店　『丸山眞男集　第九巻　1961-1988』383ページから作成

部の生活をより豊富にすることにのみかかっている」との文章から、丸山眞男の「個人析出のさまざまなパターン」を論じます。[注③]「析出」とは広辞苑によれば「溶液または溶液状態から結晶が分離して出てくること。また、電気分解のとき金属が電極にでてくること」とあります。ここでの「個人析出」は日本の明治期における近代化の過程で伝統的社会に生活している個人が「何らかの意味で解体」されて析出していく個人の態度を4つのパターン、『自立化』individualization、『民主化』democratization、『私化』privatizationと『原子化』atomizationに分けることができるとし、このパターンが「析出してゆく個人が社会との関係についていだく意識」をも規定するとしています。4つのパターンの関係は、横軸に個人が政治的権威の中心に対して抱く距離の意識の度合い、縦軸に個々人がお互いの間に自発的にすすめる結社形成の度合いを示すマトリックスとして次図のように表わされるとします。

（D）の民主化した個人のタイプは集団的な政治活動に参加するタイプ、（I）の自立化は政治を拒否するわけではないが、いざという場合を除いて普段は特別な政治活動をしないタイプ、（P）は政治活動を拒否して私的な世界にたてこもるタイプ、（A）のタイプは（P）と違って私的な核もなく、大衆社会の流れのままに浮動するような個人です。ある個人、団体ともいずれかひとつのタイプに集約されるのでなく、色々な要素を同時に持ち、この図に引かれたタテの線、ヨコの線を移動すると分かるようにどれかが支配的になるということが近代化の進展の具合や資本主義経済の浸透、大衆社会化によってかわってくるとしています。日本に特徴的なことは、（I）が弱く、（P）と（A）の傾向が強いということだと言います。（A）についての丸山は「原子化した個人は、ふつう公共の問題に対して無関心であるが、往々ほかならぬこの無関心が突如としてファナティックな政治参加に転化することがある。孤独と不安を逃れようと焦るまさにそのゆえに、このタイプは権威主義リーダーシップに全面的に帰依し、また国民共同体・人種文化の永遠不滅性といった観念に表現される神秘的『全体』のうちに没入する傾向をもつのである」と述べています。注④

右の丸山の「個人析出」から、先の西部・藤田が観察した公共への無関心、社会性の欠落は、バブル前の80年代に初めて現われたものではないことです。（P）私化や（A）原子化は例えば藤田の次の一節にも符合します。「『安楽への隷属』は、安楽喪失への不安にせきたてられた一種の『能動的ニヒリズム』であった。そうして、抑制心を失った『安楽』追求のその不安が、手近な処で安楽を保護してくれそうな者を、利益保護者を探し求めさせる。会社への依存と過剰忠誠……他人に対する激しい競争や抑制のない蹴落とし……そこでは慎しみや抑制や克己などの結果現われる自己克服『喜び』が全くなくなる代わりに、『本能的に存在している『喜びへの衝動』は、競争者としての他人を『傷つける喜び』となって現われる」[注⑤]

ここから想い浮かべるのはインターネットで飛び交うヘイトです。では、なぜ日本に（P）私化や（A）原子化が特徴的なのか、柄谷は日本人の公共性への無関心の原因について和辻哲郎の考察を『風土』から引用します。

「（ヨーロッパの都市のように：筆者注）城壁の内部においては、人々は共同の敵に対して団結し、共同の力をもっておのれが生命を護った。共同を危うくすることは隣人のみならずおのが生存をも危うくすることであった。そこで共同が生活の基調としてそのあらゆる生活の仕方を規定した。義務の意識はあらゆる道徳的意識の最も前面にたつものとなった。とともに、個人を埋没しようとするこの共同が強く個人性を覚醒させ、個人の権利はその義務の反面として同じく意識の前面に立つに到った。だから『城壁』と『鍵』とは、この生活様式の象徴である」

「『家』を守る日本人にとっては領主が誰にかわろうとも、ただ彼の家を脅かさない限り痛痒を感じない問題であった。よしまた脅かされても、その脅威は忍従によって防ぎ得るものであった。すなわちいかに奴隷的な労働を強いられても、それは彼から『家』の内部におけるへだてなき生活をさえ奪い去るごときものではなかった。それに対して城壁の内部における生活は、脅威への忍従が人から一切を奪い去ることを意味するがゆえに、ただ共同によって争闘的に防ぐほか道のないものであった。だから前者には公共的なるものへの無関心とともに忍従が発達し、後者においては公共的なるものへの強い関心関与とともに自己の主張の尊重が発達した。デモクラシーは後者において真に可能となるのである。議員の選挙がそこで初めて意義を持ち得るのみならず、総じて民衆の『輿論』なるものがそこに初めて存立する[注⑥]」

柄谷は、ヨーロッパの都市は個人が集まってできているのではなく、ギルドや同業組合のような集合体の連合であったことを捕捉しながら、日本では1990年代以降現在（講演は2008年）に至るまでも（P）私化や（A）原子化が支配的であるとし、その原因を中間集団、個別社会を滅ぼすことで成立した日本の近代の歴史の特異性、近代国家の歴史に求めます。この間1990年代まで、労働組合（国労や日教組）、創価学会、部落解放同盟、朝鮮総連、大学（教授会）の自治などさまざまな個別社会が、国家・国益を脅かす要素として、つぎつぎと非難されアメとムチで制圧されてきたと述べます。そのような非難はメディアのキャンペーンでグローバリゼーションというスローガンの下に「封建的で、不合理、非合理的だ、海外との競争に勝てない」としてなされたと言い「日本で中間勢力がほぼ消滅したのが2000年です。モンテスキューが、中間勢力がない社会は専制国家になるといったが、日本は今世紀に入って専制的な社会になったと言えます」と続けます。注⑦

柄谷によれば1960年を節目に（D）が否定され新左翼は（I）が主流に、1970年から（P）に、さらに（A）に向かって「つまり大衆社会、消費社会の個人と、それを代表する文化に向かった……以来、現在にいたるまで、PとAが支配的」だとします。その1960年の節目については共産党の権威が（知識人の間で）消滅したこと、安保闘争の同時期に起った三池炭鉱の労働争議が敗北に終わったことが労働組合運動、社会主義運動一般を弱体化したことを挙げています。また60年安保のデモを大規模にしたのは「学生運動ではない。つまり総評です。とくに国労です。だから、国労をつぶすことが、国家と資本の課題となったのです」と指摘しています。注⑧ 60年安保の当時、小学生で意味もはっきりしないまま「アンポ・ハーンタイ」の遊びに熱中したこと、高等学校の文化祭バザーで当時の総理大臣の大きな似顔絵をつくり高校生がデモの真似事をするのを面白がったことが思い出されますが、図の縦軸が左に移動し（D）が析出した季節だったというのでしょうか。その後、国労に続いて日教組も標的になりました。ちなみに、寺島は『世界』2023年1月号の「脳力のレッスン」において「『安保反対』『岸を倒せ』……この怒濤のような民衆行動への恐怖心の中で、少年安倍晋三は『おじいちゃんは絶対正しい』と叫ぶ。祖父が社会的批判の対象にされている状況への反発が澱となった」、「『デモは不逞の輩』という観念に陥ってしまった。……結局、安倍政治には『戦後民主主義はパチルス病原菌』として切り捨てたい本音が見え隠れする。それは常に『統治者としての視点からの政治論』だからである」と論じています。

その国労、日教組など中間勢力の解体は、このノートで追跡した時代の流れです。高度経済成長期、産業資本のエンジンが自動車と電気製品を中心に回転し、前に見たようなイギリスの60年代の「文化革命」が日本の若者も熱狂させる「大衆社会」「消費社会」を実現させました。その時代80年代半ばまでは「護送船団方式」の下でメインバンクと行政官庁がステークホルダーとして労働組合・労働運動が存在していましたが、外と内からの「昭和の解体」、中間勢力の排除を経て、横軸が上に移動して柄谷の論考のいうように個人が（D）民主化（I）自立化から（P）私化（A）原子化に向かってきました。西部や藤田が80年代に観察したのは、「関心の視野が個人個人の『私的』なことがらに限局され、関心を消費と享受の世界に『封じ込める』傾向を持つ」[注⑨]（P）私化した個人と、「社会的な根無し草状態の現実もしくはその幻影に悩まされ、行動の規範の喪失（アノミー）に苦しんでおり、生活環境の急激な変化が引き起こした孤独・不安・恐怖・挫折がその心理を特徴づける」[注⑩]（A）原子化した個人が表出し支配的になった集団だったのです。80年代の「黄金のような時代」から、まだ所得の格差や階級の出現が露わになっていなかった90年代初頭「一億総中流社会」までに（P・A）が析出し、さらに90年以降の製造業の海外移転、労働規制の緩和、金融・資本の自由化のグローバリゼーション、郵政の民営化、そして消費税導入・法人税減税の税制変革等これまでみてきた新自由主義経済の急激な進展が（P）から（A）への移動をさらに巻き起こしたとは言えないでしょうか。一億総中流社会のなかで「隠遁であり、安定的な」（P）「私化」から、所得格差の拡大、アンダークラスの出現による平等社会の崩壊によって「逃走であり、浮動的な個人」（A）「原子化」へ移動する波がおこったのです。

その（P）私化と（A）原子化の析出について丸山によれば一般的に、近代化が内発的でゆっくり生じる場合、（I）と（P）が多くなり、他方、後進国の近代化においては（D）と（A）が多くなるとしています。前に述べたような政治的な圧力、新自由主義の上陸による外発的で急激な経済的な圧力におおいかぶさって到来した情報技術革命・金融技術革命がもたらした格差社会の出現が個人の析出を原子化（A）に押し出したと言えます。そうした圧力と並んで考えてみたいのは前節にみた外発的で急激に出現した「クルマ社会」の影響です。

『世界』（２０２２年2月号）に掲載された今井博之の論考は「クルマ社会」がもたらした「マチ」の景観の変化、路上からの子どもの排除が、子どもたちの「運動発達・社会性行動・自立」などに影響を及ぼすことを、示唆しています。今井が紹介するのはオランダに始まり近隣諸国に広まった「クルマを優先せず、歩行者との共存」をはかった「ボンエルフ（オランダ語で「生活の庭」の意味）」です。そこでは子どもが道路で遊んだり住民が道路で休息し語り合ったりすることを奨励する、そのために歩道と車道の区別をせず、クルマの速度を制限すると同時にシケイ（屈曲路）、ハンプ（道路のかまぼこ型隆起）、ポラード（杭）などの物理的強制力を講じているのだそうですが、「ボンエルフ」を導入したスイスの研究者によって「自分の家の前の道路で自由に遊べる子どもと、日本のように道で遊ぶことが禁止されている地域に住んでいる子どもを比較すると、発育・発達に有意な差がある」ことが明らかにされたことを紹介しています。今井は本文で日本の交通安全教育や集団登校についても触れています。その相違に筆者はヨーロッパの「ボンエルフ」に、自分たちの子どもを脅かす危険、共同体への危険に対して住民が立ちむかっていく「公共への関心」をみる一方で、日本のそれらの行動には和辻の「公共への無関心」と「忍従」をみます。さらに今井の論考では、「クルマ社会」がもたらした「地理的景観の生産」の影響は、子どもの身体やこころだけでなく「子どもが同伴なしでは遊べないような現行の生活環境はボンエルフ型居住区に住む大人とそうでない居住区の大人の間に友人関係や社会的接点にも有意差があったことも紹介しています。

『世界』の同じ号に掲載された鶴原吉郎の「電動化が引き起こす自動車産業の『解体』と『再構築』」論考によると、「100年に一度の変革期」にある自動車産業の「キーワード」はこれまでの自動車の価値を『全否定』する「CASE」Connected、Autonomous（自動運転）、Shared & Service、Electric（電動化）だそうです。Cのコネクテッドは「これまでのクルマは外部から隔絶された（Disconnected）空間であること、すなわち『つながっていないこと』が価値だったと言い、Sはシェア&サービスを意味するが、これまでのクルマはずっと『所有することの喜び、価値』を追求してきたと述べています。[注⑪]

フロント・ガラスとドアで隔てられエアコンがきいた「クルマ」の内部は、人との関係が遮断された「私」が支配するバーチャルな世界であり、自己の社会的地位を目立たせる衒示的消費[注⑫]としての「所有」、不快の源の「根こぎ」を実現できる「遮断」された空間という「価値」は、人々の「私化」「原子化」への析出と結びついて急激で稠密な「クルマ社会」を誕生させ、それがさらに「地理的景観の変化」とともに個人の「私化」「原子化」を増速させてきたとはいえないでしょうか。「クルマ社会」では大人も子どもたちも直接に他人と出会い触れ合う機会は奪われます。行き会う人間がいるとしても彼は遮断された閉鎖空間からガラス越しに受け入れる情報のひとつでしかありません。その「遮断」においてクルマとスマホの間の距離はありません。後者は不快の源の「根こぎ」はクルマより手軽にできるのです。文部省の調査で子どもの不登校の主な理由の5割を占める「不安や無気力」、ユニセフの社会的スキルに表れた子どもの幸福度ランキングは、政治経済社会の転形期とともに「マチ」の景観の変化をもたらした「クルマ社会」、そして「スマホ社会」のなかで個人の「私化」が進み、さらに「原子化」へ移動して子どもたちをその孤独・不安・恐怖・挫折に引きずり込んでいることの表れではありませんか。ベビーブーマー世代が彼らの年代の頃「クルマ社会」に突入する前にはあったマチの風景、自然との関係も変えられ、社会から多様な中間社会が失われました。トー横やグリ地下に少年少女が孤独や恐怖から逃れるために集まり、他方でヘイトの団体やカルト宗教が勢力を広げるのも、そこに背景をみることはできないでしょうか。

注①：ジェフリー・サックス「デモクラシー・ナウ」2023年5月24日のインタビュー
Bipartisan Support of War, from Iraq to Ukraine, Is Helping Fuel U.S. Debt Crisis から。
注②：貿易収支はUNCTAD資料から、GDPはOECD統計から。米国軍事費macrotrends.net/countries/USA
中国軍事費statistaから indication
注③④：柄谷行人の『講演集成1995-2015』（ちくま文芸文庫2017年所収「なぜ日本人はデモをしないのか」
2008年早稲田大学　京都造形芸術大学）P107および116～119から。
注⑤：藤田省三　前掲著『藤田省三セレクション』P397から
注⑥：柄谷行人　前掲著『講演集成1995-2015』P109～110、または和辻哲郎「風土」（岩波文庫　第3章モン
スーン的風土の特殊形態　P245、249　初出1929年）
注⑦⑧：柄谷行人　前掲著 P126～128
注⑨⑩：丸山眞男「丸山眞男集　第九巻1961-1968」岩波書店1996年「個人析出のさまざまなパターン」P386、
P385
注⑪：鶴原吉郎の「電動化が引き起こす自動車産業の『解体』と『再構築』」『世界』（2022年2月号）P119
注⑫：「衒示的消費　コンスピキュアス・コンサンプション」は前掲の西部邁『貧困なる過剰』P209から。「市場取引がもつ
社会との総体的な連関は、商品の象徴的機能となって現われ……一例としてヴェブレンが指摘したコンスピキュアス・コ
ンサンプションは、財貨の貯蔵、贈与そして破壊のうちにわれわれの象徴的表現を満足させている。」

◉第3節　闇路のなかから

哲学者の梅原猛は未完となった遺稿「人類の闇と光（仮題）」で、「人類というものは動物の中においてほとんど唯一の、戦争する種である」と定義し、古代シュメールの「ギルガメシュ叙事詩」から西洋文明に繋がるメソポタミア文明、エジプト文明、そして中国の黄河文明とそれによって滅ぼされた長江文明から始めて、人類・文明の「闇」を説き起こそうとしていました。試みは未完に終わり一部が公開されているだけですが、そのなかで古代シュメールの都市ウルクの王、ギルガメシュが森の神フンババを殺戮する逸話から「知」を根底においた「文明の判断」を述べ、森を破壊し尽くす伝統のもとに道徳、倫理が作られ、近代科学技術文明が生まれ、発展したとすれば、その文明は環境破壊によって自ら滅びざるを得ない運命を余儀なくされると記しています。そして「（もっとも重要な能力である）「知」によって、人間は森を破壊し、同類の大量殺害を行ってきた[注①]」と。その「闇」の部分に対して、「草木国土悉皆成仏」で語られる天台本覚論が人類の「光」として必要になるという認識をもちながら、それをただ提示するのではなくさらに「闇」を凝視し、人間とは何者かを西洋哲学がどのように考えたかを検証しようとしていたことを編集者は語っています。

その人類・文明の「闇」のなかで世界は、巨大化する資本の欲望と情報技術の進化がもたらす疎外や排除、その産物でもある文化的な争い、そして地域と国で繰り返す武力による殺害で炎上しています。また自然が人類への逆襲を開始したかのように地球のいたるところから気候危機の有様が報じられています。

日本も森嶋が見通した「没落」のなかで疎外と分断、カルチャー戦争が進行しています。柄谷は、現代の日本の状態を政治的な敗北がもたらした専制国家の状態だとみるべきとしながら、「そうであるかぎり、それを変えることができる。大事なのはそのこと」と語っています。「そのためには、われわれは個別社会、結社（アソシエーション）をつくる必要がある。もちろん、それは何であってもかまわない。小さな寄り合い、連絡会議のようなものでもよい。それがない限り、個人は弱い。「私化」「原子化」になるに決まっているのです」と言い、アセンブリ（デモや集会）についてルソーの「人民はアセンブリにおいてだけ、主権者として行動しうるだろう。」を引用しています。また斎藤幸平も、資本主義と気候危機について『人新世の「資本論」』のなかで3・5％のアクションを訴えています。「ニューヨークのウォール街選挙運動も、バルセロナの座り込みも最初は少人数で始まった。グレタ・トゥーンベリの学校ストライキなど『たった一人』だ……こうした大胆な抗議活動は、社会に大きなインパクトをもたらした。デモは数万〜数十万規模になる。SNSでその動画は数十万〜数百万拡張される。そうなると、選挙では数百万の票になる。これぞ変革の道である」[注④]そのＳＮＳによって安倍晋三国葬反対とその後も続く防衛力強化の閣議決定という「専制」への抗議、抵抗のデモ、集会（アセンブリ）が広まって、「私化」した個人、「原子化」した個人の内部を揺さぶり、（Ｐ）を（Ｉ）に移動させる契機になったでしょうか。柄谷が指摘するように「『私化』した個人にとっては、単なるデモでも大変な飛躍になる」のですが、そのＳＮＳはデモの宣伝や連絡手段として使われることによって飛躍のバーを低くします。しかし、その一方で原子化した集団が政党を騙り国会、地方議会に議員を送り込むことも可能になることやヘイトの問題、アメリカでの議会襲撃やイーロン・マスクによるツイッター買収劇を目撃するとＳＮＳの危険性を認識しておく必要があるでしょう。

　デモクラシーの言葉のもとになるギリシャ語の「デモス」を小田実は「小さな人」を意味すると言っています。その小田は「原理としての民主主義の復権」[注⑥]において、リンカーンの有名な言葉「人民の、人民による、人民のための」をひきながら「民主主義には実は2種類のものがある」と言い、国家が民主主義の主体となり民衆は客体に過ぎない「国家民主主義」に対して、一人一人の個人にとって「その人の人生は一回かぎりのかけがえのないものだという根源的な」認識と、膨大になった社会における個人の重要性の増加の認識をもとに、それを自分の行動の根拠にすえる「『人民の』民主主義」の確立を述べています。

個人にとって人生はかけがえのない1回限りとしても、その行為と結果は引き継がれまた反復して次代、次々代に空間と時間を超えて影響を与えていきます。地球上の至る所で起きている気候危機と争いは、そのことの気付きを私たちに迫っているように思えます。「モノとカネ」に「ヒト」が「厨されてしまった」この時代に、「自己」も「他者」もかけがえのない命を持つ存在であり、個人が1回限りの人生における主人公であることをいま一度よび起こすよう小田実は「原理としての民主主義」を通して私たちに呼びかけているように思います。格差をつくりだす「富」や「税」の仕組みのように「人民のための」民主主義が見捨てられ、「二世・三世あるいは四世」の独裁や寡頭政治に堕した代議制が「人民による」民主主義の崩壊を示し、人民に「いのち」を棄てる「覚悟」を言い始めた今こそ「人民の」民主主義を思い出し、思い出させる必要があるのです。

以下は、1964年に丸山眞男が「憲法問題研究会」で行った報告「憲法第九条をめぐる若干の考察」からの抜粋です。注⑦

①改憲問題と防衛問題の歴史的関連　「（現実にわれわれに投げかけられて来た改憲問題）の政治的核心は、あくまでアメリカの戦略体系の一環としての日本再軍備にあったし、今でもあるということを、あらためて確認しておくことが必要だと考える」

②（憲法）前文と第九条との思想的連関　「戦争の歴史的経験から見て、単に形式的に政府が戦争の主体であるというだけでなく、政府の政策決定が少なくも直接的な戦争の起動力であり……勝利の場合にさえ、民衆はむしろ戦争の最大の被害者であるとすれば人民主権の思想、つまりアリストテレスが『家が住みいいかどうかを判断するのは建築技師ではなくて、その家に住む人間である』という比喩（で基礎づけたデモクラシーという考え方は）……戦争防止のために政府の権力を人民がコントロールすることのなかにこそ生かさなければならない。それが前文の趣旨であり、ここに第九条との第一の思想的関連性というものを考えてよいのではないか」（）内は原文を参考に補足。

③「1962年6月16日にアメリカのラスク国務長官がコンコードでこういう演説をしています。『我々は今日逆説と共に生きている。世界の諸国は軍備の改善にますますの資源や技術をそそぎこんでいるが、にもかかわらず安全感はますます低下していくばかりなのである』ミサイルと対抗ミサイルの悪循環、および軍備を増強すればするほど安全感が低下するという現代の逆説が明確な言葉で述べられている。第九条の精神、すなわち軍備を全廃し、国家の一切の戦力を放棄することに究極の安全保障があるという考え方も、過去の国家の常識に反する一つの逆説であります。しかしながら、それと反対に、現代の各時代における軍備が持っている逆説が、まさに世界最強の国家の、最高の責任者によって語

られている。問題は、どちらの逆説をわれわれ日本国民は選択するのかということに帰着するわけであります」

元首相が「戦う覚悟」を他国で吹聴し、自衛隊の元幹部が「国民一体となって戦う姿勢を示す」などと発言する恐ろしい世の中で、先の論考のなかで丸山眞男が「少し与太話」として「戦争絶滅請合法案」を紹介しています。デンマークの陸軍大将フリッツ・ホルンという人が冗談につくった法案で「各国政府は、宣戦布告後または戦争開始後の十時間以内に次の処置をとる」として、「左の各項に該当するものは最前線において実戦に従事させる……まず第一に国家の元首、次に総理大臣、各国務大臣、次官、それから国会議員……宗教家で戦争を煽ったもの、こういう順序で戦争開始後十時間以内に、第一戦に送り出す。こういう法案が通れば戦争を絶滅することは請合い」というものです。丸山は「冗談な『法案』のなかに含められた真実をなんぴとも否定できないでしょう」と言っています。

時代を振り返って、われわれは中曽根からいまに続く「われわれのコース」を辿り、アメリカの圧力に圧し潰されようとしては前者の逆説にすがりつこうとしています。今こそ「その家に住む人間」の「自由」な思考と判断によって政府をコントロールする努力を惜しまずに、競争と比較の呪縛で傷ついた「自由」をその呪縛から解き放って「小さな人」の民主主義を、その個人のできることにおいて始めるときではないでしょうか。それは「自己」と「他者」の「いのち」を尊重し人間と自然との関係を回復するための息の長い運動へもつながるでしょう。

注①：芸術新潮2019年4月「緊急追悼特集　梅原猛　人類への遺言」P24、27から。

注②：柄谷行人　前掲著『講演集成1995‐2015』（ちくま文芸文庫　2017年所収「なぜ日本人はデモをしないのか」P133、から。専制政治・代議制について、同書から以下を引用して補足します。

「モンテスキューの考えでは、そんな区別（共和政治、君主政治、専制政治の政体の区別）は重要ではない。君主制は、権力を拘束しうる中間勢力（貴族、聖職者など）が存在しないと、専制政治になる。その点では、共和制でも同じである。実際、フランス革命から出てきた「恐怖政治」がそれを証明しています。」P128

「代議制が寡頭政治ないし貴族政治だということは、今日、かえって露骨に示されています。たとえば、日本の政治家の有力者は、二世・三世あるいは四世です。彼らは、各地方の殿様です。その点では、徳川時代と変わらない。むしろ、徳川時代の方がましでしょう。徳川時代では、世襲といっても、実質的に養子制にもとづいていたからです。また、幕府の老中は、藩の規模・ランクよりも大名の個人的能力にもとづいて選ばれていた。それに比べて、現在の代議制はどうか。未曾有という字を読めない首相がいる。」P130

注③：柄谷行人　前掲著P135

注④：斎藤幸平『人新世の「資本論」』（2020年　集英社新書）おわりに　P362～363

注⑤：「『私化』した個人にとっては、単なるデモでも大変な飛躍になる」（P131）

注⑥：小田実「原理としての民主主義の復権」（1967年）リーディングス戦後日本の思想水脈『民主主義と市民社会』2018年　岩波書店所収から。P179、180180など。

注⑦：『丸山眞男集　第九巻』（岩波書店　1996年）「憲法第九条をめぐる若干の考察」　P256、264、284から。

中村 彰利（なかむら　あきとし）
1951年三重県生まれ。1975年大学卒業。2011年に36年余のサラリーマン生活に区切りをつける。その後、政治経済、社会の変化への違和感が増していくにあたって、「失われた40年」をたどり、記憶の拠りどころとしてのノートを作成すべく本書を執筆。

時代遅れのノート

失われた40年をたどり見えてきたこと

2024年2月26日　初版第1刷発行

著　者　中村彰利
発行者　浜田和子
発行所　本の泉社
112-0005 東京都文京区水道2-10-9　板倉ビル2階
TEL：03-5810-1581　FAX：03-5810-1582

DTP◉本間達哉
印刷・製本◉株式会社エクスパワー

ISBN 978-4-7807-2258-1 C0036